文春文庫

探偵ガリレオ

東野圭吾

文藝春秋

探偵ガリレオ・目次 contents

探偵ガリレオ

第一章　燃える

もえる

1

「……振り向いたところをみれば、夫は仮面をかぶっていた。銀色の金属でこしらえた無表情な仮面だった。感情を隠したいときにいつも使うこの仮面は、夫のやせた頰や頸や眉間にぴったりと合うように作られている。仮面をキラリと光らせて、夫は凶悪な武器を手にとり、じっと眺めた。その武器は――」

そこまで読んだ時、バイクのエンジン音が近づいてくるのを彼は聞いた。レイ・ブラッドベリの『火星年代記』を手に持ったまま、窓の手前に立ち、カーテンを細く開けた。

彼の部屋は北東の角の二階だ。東側の窓から左下方に視線を向けると、北側の道路に突き当たるT字路が見える。

今夜は、バイクは三台だった。しかし人間の数は五人だ。つまり二台は二人乗りをしているわけだ。わざとたてているとしか思えないような聞き苦しいエンジン音を響かせ、彼等はいつもの場所にたむろし始めた。

いつもの場所、とは東側の道路の突き当たりである。そこはバス停になっており、昼間バスを待つ人のためのベンチが置いてあるのだ。バイクの若者たちは、そこに腰かけて、いつまでも大声で馬鹿話をするのが大いに気に入っているようだった。しかも御丁寧なことに、すぐそばに飲み物の自動販売機もある。

暴走族、というのではない。見たところ、ふつうの若者ばかりだった。髪を茶色に染めている少年が二人、パンツを腰の下までずり下ろしている少年が一人。あとの二人は大した特徴がない。一人が髪を肩まで伸ばしていることぐらいか。

しかし、と彼は思う。見た目がふつうだからといって、暴走族よりも寛大に扱われるべきだということにはならない。

彼は手に持った『火星年代記』の本を開いた。『一九九九年二月　イラ』という章の途中だ。もう何度読み直したかわからない。暗唱できるくだりがいくつかあるほどだ。この調子では、読み終えるのに何日かかるかわかったものではない。

若者の一人が意味不明なことを喚《わめ》いた。それを聞いて周りの者が大声をあげて笑った。彼等の声は静かな町にこだました。ここは夜中になると殆ど車も通らない。

彼は窓から離れた。そして文庫本をテーブルに置くと、部屋の隅にある電話機に近づいた。

向井和彦は髪を茶色に染めていた。そしてその髪を後ろで束《たば》ねていた。そうすることで自分が少しでも一般人離れして見えることを望んでいた。

彼は十九歳だった。一年半前に高校を卒業後、塗装会社に就職したのだが、時間を拘束されるわりに得られる金額が少ないことに嫌気がさして、三か月前に退職したのだった。一年あまりの間に稼いだ金は、中古のバイク一台とゲーム代に化けた。親と同居しているので、生活には困らない。ただしその親が、いつまでもぶらぶらしている息子に何かと口うるさいことにはうんざりしていた。親と顔を合わせたくないからこそ、深夜までこうして外を徘徊しているといえなくもなかった。

彼はマルボロを口に挟んだまま自動販売機の前に立ち、金を入れてコーラのボタンを押した。ゴトゴトという音と共に、太い缶が下に落ちた。

コーラを取り出した後、彼は何気なく自動販売機の横を見た。そこにいつもは見慣れないものが置いてあった。

まず、ビール瓶を入れるためのプラスチックケースが、四段積み重ねてあった。さらにその上に新聞紙で包んだ、スポーツバッグぐらいの大きさの四角いものが置いてあるのだ。おかしいな、と和彦は思った。ここの自動販売機では、ビールなど売っていない。それにこの包みは一体何だろう。

だが彼はさほど長くはそれに関心を示さなかった。コーラのプルトップを開けると、それを飲みながら仲間たちの会話に加わった。他の四人は、最近繁華街で知り合った、女子高生グループの話をしているのだった。どの娘が簡単にやらせてくれそうか——結局そういう話だ。

他の四人は和彦にとって、友人というほどのものではなかった。そういう鬱陶《うっとう》しい関係は不要だった。楽しいことを一緒にする仲間、その程度のもので充分だ。それ以上のものを自分に求められても困ると彼は考えていた。

仲間の一人である山下良介が、この間ナンパした相手のことを話し始めた。長い髪が自慢のこの男は、話しながら両手で髪を後ろにかきあげるのが癖だった。和彦は自分のバイクのそばに立って彼の自慢話を聞いた。他の三人のうち、二人はベンチに腰を下ろし、残る一人はバイクに跨《また》がっていた。

「それでよ、部屋に入ったら、やっぱゴム使えっていうんだよ。俺はさあ、生《なま》でしたかったから、ばっくれようと思ったんだけど、その女がゴム持ってやがんの。で、しょうがねえからつけたけどさ、入れる前に爪でちょっと先を破ってやったんだ。そしたらもう生と一緒じゃん。あっちはゴムつけてると思って安心してたけどさ、思いっきり中に出してやったぜ。女は後でがたがたいったけど、破れたのはしょうがねえだろって突っぱねてさ、名前とか電話番号とかも全部でたらめ教えといてやった」

このエピソードを山下良介は手柄話のつもりでしゃべっているようだった。その証拠に彼の鼻の穴はいつもより少し膨らんでいた。

「ひでえやろうだなあ」

「妊娠してるかもしれないんだろ」

仲間たちが、にやにやしながら感想を述べた。その反応は山下良介の満足するものだったようだ。

「知らねえよ、そんなこと。いやだったら、しなきゃいいんだよ」こう嘯《うそぶ》いた。さらに何かふてぶてしい台詞《せりふ》の一つでも付け加えようと思ったのか、例によって前髪を両手でかきあげ、山下が口を動かしかけた時だった。

突然彼の目が大きく見開かれた。と同時に、信じがたいことが起こった。山下の後頭部から炎が上がったのだ。それは瞬《また》く間に彼の頭部全体を覆った。山下は声をあげることもなく、そのままゆっくりと前方に倒れていった。まるで大木が燃えたまま倒れていくようだった。

その間和彦も他の三人も声を発することができなかった。ただ呆然と、そのスローモーションのような映像を眺めていたのだ。

だが実際にはぼんやりしていた時間は数秒ほどだった。和彦はさっきの新聞紙の包みが燃え始めているのを右目の端で捉えた。同時に直感的に身の危険を感じた。

その直後、激しい爆発音と共に、炎の波が彼の身体に襲いかかってきた。

2

警視庁捜査一課の草薙《くさなぎ》俊平が愛車で現場の近くに到着した時、すでに火は消えており、消防隊も引き上げていくところだった。また、野次馬と思われる人々も、ぞろぞろとどこかへ散り始めていた。

車を降り、現場に向かいかけた時、赤いトレーナーを着た一人の少女が、前方から歩いてきた。身体つきも顔も丸い女の子だった。小学校に上がるか上がらないかといった年格好だ。少女はなぜか上を向いたまま歩いていた。何かを探しているように見えた。

そんな風に歩いていると危ないよ――そう声をかけようとした時、少女は何かに躓《つまず》いたらしく、前に転んだ。途端に大声で泣きだした。

草薙はあわてて駆け寄り、少女を抱き起こした。膝から血が出ていた。

「あ、どうもすみません」母親と思われる女性が走ってきた。「もう、だから一緒に歩きなさいっていったのに。どうもすみません。ほんとうにもう、だから家で待ってればよかったのに」

娘を叱るより、こんな真夜中に火事場見物するのは控えたほうがいいといいたかったが、草薙は黙って少女を母親に引き渡した。

「だって赤い糸が見えたんだもん。ほんとにあったんだよ」少女が泣きながらいってい
る。

「そんなもの、どこにもないじゃない。あーあ、こんなにお洋服汚しちゃって」

「見えたんだよ。赤い糸。すごく長い糸。あったんだからあ」

赤い糸って何だろうと思いながら草薙は母子から離れた。

現場に行くと、真っ黒になった道路の中央に数名の男がいた。そのうちの一人は草薙
の上司でもある間宮警部だった。

「遅くなってすみません」草薙は小走りで近づいてからいった。

「ご苦労さん」間宮は小さく頷《うなず》いた。ずんぐりした体格で、首も短い。顔つきは温厚だ
が、目にはそれなりの鋭さがある。刑事というよりも、仕事のたしかな職人という雰囲
気のある人物だった。

「放火ですか」

「いや、まだなんともいえん」

「ガソリン臭いですね」草薙は鼻をぴくつかせた。

「ポリタンクに入れてあったものが燃えたらしい」

「ポリタンク？　どうしてそんなものが置いてあったんですか」

「わからん。あれを見てみろ」間宮は道端に転がっている物体を指差した。

それはたしかに灯油を入れるためのポリタンクのようだった。側面を中心に大きく焼け溶けて、殆ど原形を留めていない。

「被害者の話を聞いてからだな。これだけじゃ、何が起きたのか、さっぱりわからん」間宮は首を振った。

「被害者というのは？」

「二十歳前の男が五人だ」そして間宮はぶっきらぼうに続けた。「一人死んだ」

メモを取っていた草薙は顔を上げた。

「焼死、ということですか」

「まあな。ポリタンクの正面に立っていたらしい」

嫌な気分を嚙みしめながら草薙はそのこともメモした。毎度のことではあるが、死者が出た事件に関わるのは気分のいいものではない。

「このあたり、ちょっと聞き込みしてくれないか。この騒ぎで、まだ起きてる者も少なくないだろう。外から見て、部屋の明かりがついてるところを当たってみてくれ」

「わかりました」答えながら草薙は周囲に目を向けた。すぐそばの角にあるアパートに彼は注目した。いくつかの窓に明かりがついていた。

アパートは古びた二階建てで、東西に走る道路に面して玄関ドアがいくつか並んでいた。ベランダは南側、つまり道路とは反対側にあるのだろう。窓が付いているのは、端の部屋だけのようだ。特に現場を目撃できるとしたら、北東の角にある部屋にかぎられそうだった。

草薙が近づいていくと、その北東角の一階の部屋に、一人の若者が入ろうとしているところだった。ポケットから鍵を出し、ドアの鍵穴に差し込んでいる。

ちょっとすみません、と草薙は若者の背中に声をかけた。

振り向いた青年は、二十代初めに見えた。背が高く、グレーの作業着のようなものを羽織っている。コンビニにでも行ってきたのか、手に白い袋を提げていた。

「先程、すぐそこで火災事故があったのを知っていますか」身分を名乗ってから、T字路のほうを指《さ》して草薙は訊《き》いた。

「そりゃあ知ってますよ。すごかったから」

「部屋にいらっしゃったんですか」草薙は、105と書かれたプレートが貼ってあるドアを見た。

ええまあ、と青年は答えた。

「事故の前後に何か変わったことはなかったですか。すごい物音がしたとか、何かを見たとか」

「さあ、どうだったかな」青年は首を傾《かし》げた。「俺、テレビを見てたから。あの連中が騒がしかったことは覚えてますけど」

「あの連中というと、バイクの連中？」

ええ、といって青年は少し顔を歪《ゆが》めた。

「週末になると、いつもなんですよね。どこから来るのか知らないけど、午前二時三時になっても、まだ騒いでいることがある。このあたりは静かないい街なのに……」

軽く唇を噛んだところに、日頃の鬱憤が込められているようだった。

あの連中には天罰が下ったらしいぜ——そういいかけて草薙は言葉を飲み込んだ。あまりに不謹慎な台詞だった。

「誰かが注意したことはないのかな」

「注意？　まさか」青年は肩をすくめ、薄く笑った。「今の日本で、そんなことをする人はいないでしょう」

そうかもな、という思いで草薙は頷いた。

「君の部屋から現場は見えますか」

「見える……はずです。本来は」青年は曖昧な言い方をした。

「どういうこと？」

草薙が訊くと、青年はドアを開けた。「中を見てもらえばわかりますよ」

それで草薙は室内を覗《のぞ》いてみた。小さな台所が手前にあるだけの、八畳弱のワンルームだった。そしてベッドと本棚とガラステーブルが、青年の所有する家具のすべてだった。テーブルの上にはコードレスホンが載っていたが、ここでは子機を使うチャンスもないだろうと草薙は想像した。本棚には、本よりもむしろビデオテープや生活雑貨品のほうがたくさん並んでいる。

「ええと、窓は?」

「その裏です」といって青年は本棚を指した。「置くところがないんで、窓をつぶしちゃったんですよ」

「そういうことか」

「まあおかげで、少しは外の騒音も遮《さえぎ》られているような気もするんですけど」青年はいった。

「相当頭にきてるようだね」

「このあたりに住んでる人、みんながですよ」

「ふうん」草薙は、テレビに繋《つな》がれたイヤホンに目をとめた。たぶん騒音がうるさいから、こうしてテレビを見ていたのだろう。となると、仮に不審な物音がしたとしても、聞いている可能性は低かった。

どうもありがとう参考になったよ、と草薙はいった。収穫がなくてもこういっておくのが協力者に対する礼儀だ。

「あの……」青年がいった。「二〇五号室にも話を訊きに行くんですか」

「二〇五というと、この真上の部屋だね。うん、そのつもりだけど」

「そうですか」青年は何かいいたそうだ。

「何か？」

「ええ、あの……じつは」青年は迷いを見せた後、口を開いた「上に住んでるのは前島って奴ですけど、口がだめなんです」

「口？　だめって、どういうこと？」

「しゃべれないんですよ。声が出せないんです。唖者っていうのかな」

「ああ……」

草薙は虚をつかれた思いだった。教えてくれてよかったと思った。知らずに訪ねて行ったら、間違いなく戸惑っていただろう。

「俺、一緒に行きましょうか」青年がいった。「あいつとは、わりと親しくしてるから」

「いいのかい」

「いいですよ」すでに部屋に上がっていた青年は、またスニーカーを履《は》き始めた。

親切な青年の名前は金森龍男といった。彼の話によると、二〇五号室の住人である前島一之は、耳のほうは全く問題がないということだった。

「耳に関しては、俺たちよりずっといいです。だからあいつも、連中の騒音には腹を立ててたんじゃないかな」手すりの錆びた階段を上がりながら金森はいった。

二〇五号室をノックすると、すぐに返事があった。ドアが開き、若者の痩せた顔がその隙間から見えた。金森よりも少し若そうだった。顎《あご》が尖《とが》っていて、頬が青白かった。

前島は深夜の訪問者の一方が金森だったことで、幾分安堵《あんど》したようだ。それでも草薙を見る目には警戒心が宿っていた。

「刑事さんなんだ。さっきの事故のことを調べてるんだってさ」

金森がいうのと同時に草薙は警察手帳を見せた。前島は少し逡巡したようだが、ドアを大きく開いた。

当然のことながら間取りは金森の部屋と同じだった。ただし東側の窓は、金森の部屋のように塞《ふさ》がれてはいない。草薙の目が真っ先に捉えたのは、この狭い部屋には似つかわしくない立派なオーディオセットと、床に大量に積まれたカセットテープだった。音楽マニアなのだろう、と草薙は解釈した。また壁際に積まれた文庫本の量にも彼は驚かされた。雑誌はなく、殆どが小説だった。

読書と音楽が趣味の青年――一瞬にしてそういうイメージを目の前にいる前島に当てはめた後、たしかにこの若者も無神経に騒音をまき散らす連中を憎んでいたかもしれないと草薙は思った。

草薙は、玄関で立ったまま訊いた。「さっきの火事の時、君はどこに？」

すると前島は殆ど表情らしきものを浮かべず、この部屋にいた、と答えるように床を指した。

「何をしていましたか」草薙は次の質問に移った。前島はポロシャツにスウェットという格好だし、室内に布団は敷かれていないから、まだ寝てはいなかったはずだ。

前島は後ろを向き、窓際に置いてあるテレビを指した。

「テレビを見てたそうです」金森が、草薙にもわかることを説明した。

「事故の直前、何か物音を聞かなかったかな。あるいは、窓の外に何か見えたとか」

前島はスウェットのポケットに両手を突っ込んだまま、やや無愛想に首を振った。

「そう……ちょっと上がらせてもらってもいいかな。窓の外を見たいんだけど」

草薙がいうと前島は小さく頷き、どうぞ、というように掌を窓のほうに向けた。

失礼します、といって草薙は靴を脱いで上がった。

窓のすぐ下には、南北に走る道路があった。交通量は少なく、こうしている間も、車は全く通らない。先程金森が静かないい街だといったのを草薙は思い出した。

現場となったT字路は左下方に見える。今も何人かの捜査員が、手がかりを見つけようと歩き回っていた。

草薙は窓から離れ、何気なくそばのスピーカーの上に目を向けた。そこに文庫本が一冊載っていた。レイ・ブラッドベリの『火星年代記』だった。

「これは君の本？」草薙は前島に訊いた。

前島は頷いた。

「そうか。難しいんだよな、この本」

「読んだことあるんですか」金森が尋ねてきた。

「大昔ね。読もうとしたことがある。だけど挫折しちまった。大体、読書には向いてない体質なんだ」

笑わせるつもりだったが、金森は笑わず、きょとんとしていた。前島は黙って窓の外を見ている。

ここにいても捜査の足しになりそうにない——草薙はそう判断した。

何か思い出したら連絡してほしいといって、彼は二〇五号室を出た。

3

草薙が帝都大学理工学部物理学科第十三研究室を訪ねたのは、奇怪な事件が起きてから三日目のことだった。

彼はこの大学の社会学部を出ていた。だから理工学部のほうに足を踏み入れたことなど、在学中は一度もなかった。卒業して十年以上経ってからこんなところへ来ることになるとはなあと、自分のことながらおかしかった。

灰色をした四階建ての建物が物理学科のある棟だった。それを下から見上げただけで萎縮しそうになるのは、生まれついての理系オンチのせいだろうと草薙は自己分析した。

目的の部屋は三階にあった。ドアの前に助手や学生の名前を書いた紙が張ってあり、その横に行き先を示す磁石のプレートがくっつけてあった。学生は全員講義に出ているようだ。そして湯川という名字のところを見ると、『在室』になっていた。草薙は時計を見て、約束の二時を少し過ぎていることを確認してからドアをノックした。

はい、という声が聞こえた。それで彼はドアを開いたが、部屋の中を見て一瞬たじろいだ。

室内は明かりがついておらず、真っ暗だった。いや、昼間であるから明かりをつけなくとも充分に明るいはずなのだが、遮光カーテンでもつけてあるのか窓からの光も殆どなく、まるで暗室のようなのだ。

「湯川、どこにいるんだ」

草薙が呼びかけた時、突然すぐそばで機械の動く音がした。モーター音に似ており、しかも草薙としても馴染《なじ》みのある音だった。

そうだこれは電子レンジの音だと彼が気づくのとほぼ同時に、すぐ目の前に炎が出現した。見ると小型の電子レンジが机の上に置かれ、その中で電球が光を発しているのだった。しかもそれは通常の電球の光り方ではなく、中で炎がゆらめいているのだ。見ていると光は次第に小さくなり、やがて消えた。するとそれを待っていたようにカーテンが開けられた。

「日々、治安維持に努めてくれている草薙刑事をもてなすには、光がちょっとばかり貧弱すぎたかな」

白衣姿の男が、カーテンの端を持って立っていた。長身で色白、黒縁眼鏡をかけた秀才タイプの顔つきは、学生の頃から殆ど変わっていない。前髪を眉の少し上で切りそろえた髪型も、昔のままだった。

草薙はため息をつき、ついでに苦笑いした。

「おどかすなよ。いい歳をして悪戯《いたずら》かい？」

「そんなふうにいわれると心外だね。僕としちゃあ、君への協力の意思を形で示したつもりなんだけど」

湯川はカーテンをすっかり開けてしまうと、白衣の袖をまくりながら草薙のほうへ歩み寄ってきた。そして右手を出した。

「元気だったかい」

「まあな」そういって草薙は湯川と握手した。優男に見えるが、湯川はバドミントン部のエースだった。草薙は何度も彼と練習で対戦したが、いつも苦戦を強いられた。今こうして草薙の右手を握ってくる力の強さは、その頃のことを思い出させるものだった。

「いつ以来かな」握手を終えてから草薙はいった。二人が会うのは、という意味だった。

「最後に会ったのは三年前の十月十日だった」湯川はいった。自信のある口ぶりだ。

「そうだったか」

「川本の結婚披露宴で会っただろ。あれが最後だ。ほかの者が黒の礼服なのに、草薙一人だけがグレーのスーツを着ていた」

「ああ」草薙はその時のことを思い出して頷いた。たしかにそのとおりだった。そして記憶力のほうも昔のままらしいぞと湯川を見て思った。

「大学のほうはどうだい。助教授になって、いろいろと大変じゃないのか」仲間の白衣姿を眺めながら草薙は訊いた。

「別に大きく変わることはないね。学生の質が年々低下していく現象にも、もう慣れた」湯川は真面目な顔でいった。冗談のつもりではなさそうだった。

「手厳しいな」

「それより」湯川はいった。「君のほうこそ大変じゃないのか。特にここ二、三日は」

「どういう意味だ？」

「僕としては君の狙いを察して、こういうものも用意して待っていたわけだよ」湯川は先程の電子レンジを指差した。

「そういえば何かいってたな。協力の意思とか」そういいながら、草薙は電子レンジに触れようとした。

「ストップ。電源部分が露出したままだ」

湯川があわててそばのコンセントからプラグを抜いた。たしかに電子レンジの背面カバーが外され、そこに草薙には何が何だかさっぱりわからない機器が取り付けられているのだった。

それから湯川は電子レンジの前面扉を開け、中のものを取り出した。それは金属製の灰皿に入れられた電球だった。

「これがさっきの手品の正体さ」と彼はいった。

草薙は湯川の手元をしげしげと眺めた。

「単なる電球に見えるけどなあ」

「そう。単なる電球さ」湯川はそれを近くの机の上に置いた。「電子レンジの電磁波による誘導電流で、電球内部のキセノンがプラズマ化して発光したんだ。紫色だけでなく、緑色の光も見えたから、フィラメントを支えている銅から出た、銅のプラズマも混じっていたかもしれないな」

「プラズマ？　今のがプラズマかい」草薙は訊いた。その前の湯川の話は殆ど意味がわからなかったが、プラズマという言葉には馴染みがある。

「まあね」湯川はそばの椅子に腰を下ろし、大きく後ろにもたれた。「これで僕がさっきいった意味がわかっただろう？　草薙はプラズマについて訊きたいがために、わざわざこんなところまで来たはずだからな」

「参ったね」草薙は首の後ろを撫でながら、湯川とは机を挟んで反対側の椅子に腰かけた。「どうしてわかった」

「それほど大した推理でもないだろう。例の焼死事件のことは我々の間でも有名だし、人が死んでいるわけだから警視庁捜査一課の草薙が駆り出されている確率は高い。その草薙が、忙しい合間を縫って、僕と昔話をするためだけにこんなところへ来るはずがないじゃないか」

あっさりと見抜かれて、草薙としては苦笑するしかなかった。

「ま、そういうことだ」頬をぽりぽりと搔いた。

「とりあえずコーヒーでもいれよう。ただしインスタントだがね」湯川は立ち上がり、コンロで湯を沸かし始めた。

彼がコーヒーをいれてくれる間に、草薙は手帳を取り出し、事件の概要をもう一度見直した。

じつのところこれが事件と呼べるものなのか、それとも単なる事故なのか、警察としてもまだよくわかっていなかった。

これまでに明らかになっていることを整理すると次のようになる。まず、花屋通りという地味な道路の道端で突然局所的な火災が起き、近くにいた若者五人のうち一人が死亡、残る四人は重軽傷という被害が出た。現場にはガソリンの臭いが充満し、焼け跡の中から灯油用の赤いポリタンクと思われるものが見つかっていることから、そこに入れてあったガソリンが何らかの弾みで燃えだしたと考えられる。ただし、なぜそこにそんなものがあったのかは不明。若者たちは、そんなポリタンクのことは知らないし、絶対に自分たちが火をつけたのではないと主張している。

ではなぜ突然火災が起きたのか。

プラズマ説は、一部のマスコミがいいだしたことだった。雷が発生しやすいような気象条件の時、空気などのガス状物質に誘導電流が流れることにより、強い光と高熱を伴う火の玉のようなプラズマが出現することがある。今回の事件でも、そうしたプラズマの一種が発生したことでポリタンク内のガソリンが燃えだしたのではないかというわけだ。こうした説が出る背景に、いくつかの超常現象がプラズマで説明できるという実績があるのは明らかだった。警察としても、これを霊の仕業だとか、超能力によるものだとかいわれるのよりは、プラズマ説のほうが受け入れやすい。それで一度プラズマについて調べてみようということになり、草薙が大学時代の友人である湯川を訪ねることになったのだった。

その湯川がコーヒーカップを二つ持って戻ってきた。どちらも何かの景品でもらったと思われる、趣味の悪いマグカップだった。あまりきちんと洗っていないことは、見ただけですぐにわかった。それでも草薙は、「やあ、すまんなあ」といって、インスタントコーヒーをおいしそうに一口啜《すす》った。

「で、どう思う？」カップを机に置いてから草薙は訊いた。

「どう思うって？」

「例の事件についてさ。花屋通りの火災事件をどう思う？　こんな実験をして見せたところからすると、おまえもプラズマだと考えているわけか」

「僕がこの実験をしたのは、新聞にプラズマ説が載っていて、草薙もきっとこれに関心があるだろうと思ったからだ。僕としては、今のところ何の意見もない。プラズマかもしれないし、そうじゃないかもしれない。何しろデータが何一つないんだから、仮説の立てようがないよ」

「おまえは事件について、どの程度まで知ってるんだ」と草薙は訊いた。

「当然のことながら、せいぜい新聞に載っている程度のことさ。つまり」湯川はコーヒーを一口飲んでから続けた。「なぜか道端に置いてあったガソリン入りのポリタンクが、なぜか突然火を吹いて、そばにいた若者を焼いた——これだけのことさ」

「それだけのことから、何か推理できないか」

草薙の言葉に湯川は吹き出した。

「無茶いうなよ。焼け跡からどういうものが見つかったのか、それを詳しく調べなきゃ原因なんか推察できない。消防の連中だって、そんなふうにいったはずだ」

「焼け跡から見つかったのはポリタンクだけだ。本当にそれだけなんだ」

「タンクに何か仕掛けがしてあったんじゃないかって、テレビのニュースキャスターがいってたな」

「そんな連中がいうことを、俺たちが考えつかないとでも思うかい？　鑑識が目の色を変えて調べたけれど、仕掛けの痕跡は見つからなかったんだ」

「それはご愁傷様」

「茶化すなよ。本気で知恵を借りたいと思ってるんだ」

草薙が真面目な顔でいうと、湯川はちょっと肩をすくめて見せ、それから笑みを浮かべていった。

「面白いことを教えてやろう。アメリカで、ＵＦＯを目撃したという人の話を徹底的に分析してみたところ、九十パーセント以上が何かの見間違いであると判明したそうだ。しかもその中で最も多いのは、なんと天体をＵＦＯと見間違えたというものだった。特に多いのは金星だが、中には月をＵＦＯだと思ったという人間さえいる」

「何がいいたいんだ」

「幽霊の正体は、いつも案外つまらないということさ。ガソリンの入ったポリタンクがあって、その近くにまだ大人の分別が備わっていない少年数名がいた。で、そのタンクに火がついたということになれば、考えられることは一つじゃないか」

草薙は目を剝《む》いた。

「連中は嘘をついていて、やっぱり奴等がガソリンに火をつけたっていうのか。大火傷《おおやけど》することを覚悟で」

「わざとつけたかどうかはわからない。もしかしたらポリタンクを置いたのは別の人間で、少年たちは中身がガソリンだと知らなかったのかもしれない。でもとにかく、彼等が原因じゃないという証拠はないだろう。どうせ煙草を吸っていただろうし、ライターだって持っていたはずだ」

湯川がいうのを聞いて、草薙は思わず顔をしかめた。

「がっかりさせることをいわないでくれよ。それじゃあまるで、うちの課長と同じだ」

「へえ、捜査一課長は、この説なのかい」

「ガキたちの火の不始末が原因だろうってさ」

「いいじゃないか。じつに論理的だ。非のうちどころがない」

「おまえがそういう保守的な意見に固執するなら、新しい情報を与えてやろう」草薙はそういいながら上着の内ポケットから何か取り出した。

「保守的なわけじゃなく、常識的なんだけどね。なんだいそれは。小型テープレコーダーのようだな」

「少年の一人から話を聞いた時のものだ。火傷のせいで口を動かすのは難儀そうだが、意識ははっきりしている。まあちょっと聞いてくれ」

草薙がスイッチを入れると、テープレコーダーからぼそぼそとしゃべる声が聞こえてきた。彼はボリュームを上げた。

まず簡単な身元確認がある。少年の名前は向井和彦、十九歳だった。

そしていよいよ本題に入る。草薙による質問から。

(燃えた時のことを教えてほしいんだけどね、その前に何か変わったことはなかった？)

(変わった……こと？)

(何でもいいんだよ。君は何をしていた)

(おれ……俺は、ええと、煙草を吸ってたのかな。それで、良介の話を聞いてた)

(ほかの友達はどうだった？　何をしていた)

(特に何も……やっぱり良介の話を聞いてただけ。それでそうしたら急に燃えだしたんだ。すごい、びっくりした)

（ポリタンクが燃えたんだね）

（そうじゃなくって……良介が……良介の頭が）

（頭？）

（髪の毛が……あいつの後ろの髪の毛から急に火が出たんだ。そうして、あいつはばったり倒れて……それで、びっくりしてたら、あっという間に俺たちまで火に包まれてて……あとは何だかよくわからない）

（ちょっと待って。それは逆じゃないのかな。まず火に包まれて、それでその友達の頭が燃えだしたんじゃないのかい）

（違う。そうじゃない。あいつの頭が燃えたんだ。最初に良介の頭が燃えたんだ）

ここまで聞いたところで草薙はテープレコーダーのストップボタンを押した。

「どうだい？」と彼は湯川を見た。

湯川はいつの間にか頬杖をついていた。だがそれが退屈している徴《しるし》でないことは、眼鏡の奥の目が語っている。

「頭が燃えた？」

「そういうことらしいぜ」

草薙は湯川がどうやら興味を抱き始めたことを知り、内心ほくそ笑みながら煙草の箱を取り出した。だが彼が一本抜き取ろうとした時、湯川は無言で壁の張り紙を指差した。

そこには『禁煙　それ以上脳味噌の血の巡りを悪くしてどうする』と書いてあった。草薙はげんなりしながら煙草をポケットにしまった。

「頭が、燃える」湯川は腕組みをした。「マッチ棒みたいに、頭だけが先に、燃える」低く唸《うな》り始めた。「手品でもないのに燃える？　大道芸で火を吹く男がいるけど、あれだって頭は燃えない」

「でも燃えたんだ」草薙は拳を振った。「頭だけが先に燃えたんだ」

「死体はどうなってる。やっぱり頭だけ焼けてるのか」

「残念ながら、倒れた後でポリタンクの火災に巻き込まれたらしく全身黒焦げだ。どこから先に燃えたのかは判断できない」

湯川は再び唸った。それからふと何かを思い出した顔で草薙を見た。

「それで君のところの論理的な課長は、これについて何といってるんだい」

「この証人の錯覚だろうといっている。気が動転して、記憶が混乱しているんだってさ。だけど他の少年たちに訊いても、やっぱりその良介という少年の頭が燃えたのが先だというんだ」

「なるほど」湯川は一つ頷いた。それから腰をあげた。「じゃあ、ちょっと行ってみようか」

「どこへ？」

「決まっているだろう。その怪奇現象の現場へだよ」

草薙は湯川の顔を少し眺めてから、勢いよく立ち上がった。

「オーケー、案内しよう」

4

現場は昼間でも交通量の少ないT字路だった。おかげで道幅が広くないにもかかわらず、草薙が運転してきたスカイラインを、気兼ねなく路上駐車させることができた。

事件が起きた時にも置かれていた飲み物の自動販売機は、下の部分が真っ黒に焦げたまま放置されていた。ディスプレイのところに、『故障中』と書かれた紙が張ってある。

「故障中、という言葉はあるのかな」張り紙を見て湯川は呟《つぶや》いた。「故障、だけで意味は通るはずだが」

「少年たちの証言によると」湯川を無視して草薙は説明を始めた。「死んだ山下良介が立っていたのは、このあたりらしい」そして自動販売機から二メートルほど離れた位置に彼は立った。

「その少年はどっちを向いて立っていたんだ」と湯川は訊いた。

「自販機のほうを向いていたはずだ。で、ほかの少年たちは、彼を取り囲むようにしていた。二人はベンチに座り、二人はバイクのそばにいたらしい」

「ガソリン入りのポリタンクはどこにあった」

「その自販機のすぐ横だ。ビールの中瓶用ケースが四つ積まれていて、その上に載せてあったそうだ。向井和彦の証言では、新聞紙で包んであったらしい」

「ビールのケース?」湯川は周囲を見回した。「なぜそんなものがあるんだい」

「それもわからないことの一つだ」草薙は通りに沿って、東側を指差した。「ほら、すぐそこに酒屋の看板が見えるだろう。あの店から持ってきたものらしいということはわかったんだが」

「酒屋は何といってるんだい」

「全然心当たりがないといっている」

「ふうん」湯川は自動販売機の横に立ち、胸の前で右手の掌を水平にした。「ビールケース四個分の高さといえば、これぐらいかな」

「そうだろうな」

「その上にポリタンクが置いてあったわけだ」

「うん」

「それで」湯川は二メートルほど道に出た。「死んだ少年はこのあたりに立っていたんだな。自販機のほうを向いて」

「そういうことになっている」

「なるほど」

湯川は腕組みをし、自動販売機のそばを行ったり来たりし始めた。草薙は声をかけるのが何となく憚《はばか》られて、黙ってそんな様子を眺めていた。

やがて物理学教室の若き助教授は足を止め、顔を上げた。

「プラズマなんかではないな」と彼はいった。

「そうか」

「草薙は、今度の事件についてどう考えているんだ。誰かが故意でしたものか、それとも突発的な事故なのか、どっちだと思う？」

「それがわからんから、おまえに相談したんだけどなあ」草薙は顔をしかめて頭を掻いてから、また真顔に戻った。「俺は、誰かがわざとやったことだと思う」

「その根拠は？」

「もちろんガソリン入りのポリタンクだ。誰かがただの酔狂で置いたとは考えにくい。ああいう事故を起こすために、意図的に置いたとしか考えられない」

「同感だな。で、次に考えなければならないのは、どうやって事故を起こさせたかということだ。そこで僕は断言する。後に何の痕跡も残さず、ポリタンクを焼いてしまうほどのプラズマを任意の場所に発生させるなんてことは、現実的には不可能だ」

「だけどさっき俺にプラズマを見せてくれたじゃないか」

「もちろん、この現場全体を電子レンジの中に入れることができるなら話は別だ」にこりともせずに湯川はいった。

「プラズマでないとしたら、何だ？」

「それはまだ何とも断言できないが」湯川は右手の人差し指を立て、自分のこめかみをぐりぐりと押した。「少年の頭が燃えたという話が、やっぱりポイントになる。ポリタンクよりも先に燃えたという話がね」

「その話を信じてやるわけだな」

「その話は本当だよ」

「ほう、どういう根拠からそういえるのか聞きたいね」

「もしもポリタンクが燃えだしたのが先で、その炎が移って少年の頭部が燃え始めたのだとしたら、頭よりも先に顔が焼けるはずじゃないか。死んだ少年は、自販機のほうを向いて立っていたんだからな。ところが目撃した少年は、後ろの髪が燃え始めたといっている。なぜ顔の反対側から燃えるんだ？」

あっと思わず草薙は声を漏らした。そういわれれば、たしかにそのとおりだった。

「僕は、少年の頭が燃え、次にポリタンクが燃えだしたという順番は正しいと思う。そして燃えたという以上は、熱が加えられたことになる。すると何らかの熱が、少年、ポリタンクというふうに伝わったのか。しかしそれほどの熱ならば、他の少年たちも自覚するはずだ。ところが君の話を聞くかぎりでは、彼等はポリタンクのガソリンが燃えだすまで、熱いという感覚を持たなかったようだ」

「そのとおりだよ」

「なぜそれほど局部的な加熱が起きたのか……」湯川は左手を腰に、そして右手を顎に当てて考え込んだ。

「帝都大の若き助教授もお手上げか」

「とりあえず一つだけ考えられることはあるんだが」そういって湯川は現場から真っ直ぐ南に伸びる道を見つめた。しかしすぐに首を振った。「まさかな」

「何なんだ、思いついたことでもあるのか」

「いや、今君に聞かせても仕方のない話だ。それより喫茶店にでも行かないか。コーヒーを飲みながら、ゆっくり考えをまとめたい」

「はいはい。何でも先生のおっしゃるとおりにいたしますよ」草薙はポケットのキーを探りながら、スカイラインに向かって歩きだした。

車に乗り込んでから湯川がいった。「喫茶店へ行く前に、このあたりを少しゆっくり走ってくれないか。街の様子を見ておきたい」

「へえ、街の様子が何かの参考になるのか」

「なる場合もある」

ふうん、と曖昧に頷いて、草薙は車を発進させた。そして湯川にいわれたように、スピードを落として走った。しかし民家や小さな商店の並ぶ、何の変哲もない通りが続いているだけだ。

「今度の事件がある人物の故意によるものだとすると」助手席の湯川がいった。「その狙いは一体何だったんだろう。殺しだろうか」

「まずそれを考える必要はあるな。何しろ、実際に一人死んでいるわけだから」

「その山下良介という少年を狙った犯行だというのか」

「彼だけを狙ったのかどうかはわからん。もしかすると、彼等全員を狙ったが、たまたま山下だけが死んだということなのかもしれない」

「その少年たちは、いつもあの場所にいたのか」

「それについては何人も証人がいる。木、金、土曜日の夜は、まず間違いなくあそこでたむろしていたそうだ」そういってから草薙は、証人というよりも被害者といったほうがいいかもしれないなと思った。

「事件が起きたのは金曜日だったな」湯川が訊いた。

「そうだ」

草薙が近所の人間たちから話を聞いたかぎりでは、少年たちの評判は決して良いとはいえなかった。車の通りが少ないのをいいことに、深夜にもかかわらずバイクで道路を走り回る、大声で騒ぐ、おまけにゴミを散らして帰るという有り様だったらしい。だからそんな傍若無人ぶりに腹を立てた住人の誰かが、彼等に制裁を加えるつもりで今度の犯行に及んだ、ということも考えられないではなかった。

もっとも今度のことが犯行だとしても、どういう内容のものなのか、草薙は輪郭さえも摑《つか》めていないのだが。

そんなことを考えながら、彼はハンドルを操作した。一区画ほど進むと細い道に入り、さらに行ったところで小さな曲がり角を曲がるという具合だ。しかし風景に変化はあまりない。小さな民家やアパートが並んでいるだけだ。時折少しだけ大きめの建物があるが、それは町工場だろうと思われた。このあたりには一流企業の孫請け、曾孫《ひまご》請けといった仕事をしている工場がいくつもある。

やがて草薙の運転する車は元の位置に戻った。

「ほかに見たいところは？」彼は湯川に訊いた。

「いや、もういい。コーヒーを飲みに行こう」

「了解」

事件現場から真っ直ぐ南下する道を進み始めた時だった。見たことのある女の子が、道端に立っていた。事件発生の夜、道で転んだところを草薙が抱き起こしてやった少女だった。あの日と同じ赤いトレーナーを着ていた。そしてあの日と同じように、じっと上を見ている。

「あの子……あんなことをしてると、また転ぶぞ」横を通り過ぎてから草薙はいった。

「知り合いの子かい」湯川が訊いてきた。彼にしては口調がぶっきらぼうだ。この男が昔から子供嫌いだったということを草薙は思い出した。

「知り合いじゃない。事件の夜に、転んでたのを起こしてやっただけだ」

「なんだ、そうか」

「おまえは相変わらずガキ嫌いのようだな」ちらりと横を見て草薙はいった。

「子供は論理的じゃないからな」湯川はいった。「論理的でない相手と付き合うのは、精神的に疲れる」

「そんなことといってると、女と付き合えないぜ」

「論理的な女性も多い。少なくとも、非論理的な男と同じぐらいは存在する」

草薙は苦笑した。頑固なところも学生時代のままだった。

「さっきの子供は何かを探してたみたいだな」湯川がいった。「風船かな」

「あの子、前もああしてたんだ。それで転んだ」

「やれやれ」

「たしか……」あの夜のことを思い出して草薙はいった。「赤い糸……とかいってたな」

「えっ？」

「赤い糸が見えるとか、見えないとか、そういうことをいってた。よくわけがわからないんだけどさ」

その時だった。湯川がサイドブレーキを引っ張った。途端に車体は速度を落とし、おまけに左右に激しくふらついた。

草薙はあわててブレーキを踏み、車を止めた。「何をするんだっ」

「引き返してくれ」

「はあ？」

「引き返すんだ、早く。さっきの子供のところまで」

「子供の？　何のために？」

すると湯川は大きくかぶりを振った。

「それを今君に説明している暇はないし、説明してもすぐには理解できない。とにかく戻るんだ」

湯川の語気は、草薙に考える余裕を与えなかった。草薙はブレーキペダルを離すと同時にハンドルを切った。

先程の場所に戻ると、幸い少女は同じ場所に立っていた。相変わらず、何かを見上げている。

「あの子の話を聞こう」湯川がいった。

「何の話だ」

「もちろん、赤い糸の話だ」

草薙は彼の顔を見返したが、湯川のほうに突飛なことをいっているつもりはないようだった。

車を停め、草薙は彼女に近づいていった。湯川は後からついてくる。

「こんにちは」草薙は女の子に声をかけた。「膝はもう治ったのかな」

少女は最初警戒する様子を見せたが、彼の顔を忘れてしまったわけではなさそうだった。やがて表情を和《なご》ませると、小さく頷いた。

「何を見ているんだい？ この前も空を見てたね」いいながら草薙は空を見上げた。

「そんなに上じゃないよ。すぐそこだよ」少女は上を指したが、どのあたりのことをいっているのか、草薙にはわからなかった。

「何が見えるんだい」草薙は女の子に再度尋ねた。

「あのね、赤い糸が見えるの」

「赤い糸？」やはり聞き違いではなかったようだ。草薙は目を凝らして少女が指差したあたりを見つめたが、そんなものは見えなかった。「見えないよ」

「うん、見えなくなっちゃったの」女の子も残念そうにいった。「この前は見えたのに」

「火事の日……」

「ええとね、あの火事の日」

「この前って？」

　草薙は湯川のほうを見た。物理学者は腕組みをし、眉間《みけん》に皺《しわ》を寄せて少女の顔を見つめていた。そんな顔をして睨《にら》んだら子供が怖がるじゃないかと草薙はいいたかった。

　その時、すぐ前の家の戸が開いた。出てきたのは先日も会った、少女の母親だった。彼女は娘と親しげに話している男を見て怪訝《けげん》そうにした。

「この間はどうも」と草薙は会釈した。「娘さんの膝、大丈夫みたいですね」

　この一言で記憶が蘇ったらしく、瞬時にして母親の顔に愛想笑いが浮かんだ。

「ああ、あの時はどうもすみませんでした」そして丁寧に頭を下げた。「あのう、この子が何か？」

「今ちょっと、面白い話を聞かせてもらっていたんですよ。赤い糸が見えたとか」

「ああ……」母親はばつの悪そうな顔をした。「おかしなことばかりいうんですよ。そんなもの、見えるはずがないのに」

「どういうことなんですか」

「いえ、もう、ほんとにつまらないことなんです。先週の……ええと、あれはいつだったかしら」

「金曜日じゃないですか」草薙はいった。「娘さんの話では、火事のあった夜ですから、金曜日ということになるんですが」

「ああ、そうでした。ええ、たしかにそうです。それで、夜の十一時頃だったと思うんですけど、この子が急に外に出て、赤い糸が見えるとかいいだしたんです」

「あのね、二階の窓から見てたらね、見えたの」少女が横からいった。「それで外に出たら、やっぱり見えたの」

「どのへんに見えたんだい」

「ええとね、あのおじさんの頭ぐらいのところ」少女は、湯川の顔を指していった。

湯川は不愉快そうに、また眉を少し寄せた。

「赤い糸はどんなふうになってたんだい」と草薙は訊いた。

「ぴーんと伸びて、真っ直ぐになってた」

「真っ直ぐ？」

「道に沿って、真っ直ぐに張られていたといいたいようなんです」母親が代弁した。

「おかあさんもそれを御覧になられましたか」

母親はかぶりを振った。

「それが、娘にいわれて私も外に出て見たんですけど、そんなものありませんでした」

「違うよ、あったよ」娘は口を尖らせた。「おかあさんが来た時は、まだちゃんと見えてたよお」

「だっておかあさんには見えなかったんだもの」

「あそこにあるよって教えてあげてるのに、見えない見えないっていうんだもん。それで、ほんとに見えなくなっちゃったんだよお」

「そんなこといったって」このやりとりはすでに何度も繰り返されているらしく、母親はややうんざりした顔を見せた。

湯川が、すっと草薙の後ろに立った。そして耳元で、「それは本当に糸だったのかな」と呟いた。自分の口で子供に尋ねるのは嫌らしい。

「それは本当に糸だったかい」草薙は少女に訊いた。

「わかんない。でもすごく細くて、ぴーんと真っ直ぐになってたんだよ」

湯川がまた囁《ささや》いた。「それに触らなかったのかな」

「それに触ってみたかい」

「ううん。だって届かなかったもの」

草薙は湯川のほうを振り向いた。ほかに質問はないか、という意味だった。

「この近くで、ほかにそれを見たという人はいるのかな」と彼は小声でいった。

草薙はその質問を母子にした。

「近所の人にはたしかめてません。だって、そんなの私にも見えなかったんですから。

たぶんこの子が何か錯覚したんだと思います」

「違うよ、ちがうよお」娘は泣きだしそうな顔になった。

こんなところで子供の泣き声なんかは聞きたくないとばかりに、湯川は草薙の上着の端を引っ張った。草薙は母親に礼をいってその場を離れた。


車に戻るまでの間、湯川は黙り込んでいた。彼が赤い糸の話について考えていることは草薙にもわかっていた。しかしあの話のどこに彼の関心を呼ぶものがあったのかはわからない。もとより、赤い糸の正体自体、草薙には見当がつかなかった。とにかく彼が今気をつけねばならないことは、湯川の思考活動の邪魔をしないということだった。


草薙の愛車は駐車違反のステッカーを張られることもなく、先程と同じ場所に停まっていた。彼はキーを取り出し、まず運転席のドアを開けた。だが湯川は車に近づこうとしなかった。

「すまないが、先に帰っててくれ」と彼はいった。「僕はちょっと散歩していく」

「それなら付き合いたいが、俺が一緒だとまずいのか」

「そうだな。一人で歩きたい」湯川ははっきりといった。この男がこういう言い方をする時には何をいっても無駄だということを、草薙は十年以上前から知っている。

「そうか。じゃあ連絡を待っている」

「うん」

草薙はスカイラインに乗り込むと、エンジンをかけて発進した。バックミラーで後ろの様子を窺《うかが》うと、湯川がさっきの道を戻っていくのが見えた。

「赤い糸……か」

呟いてみたが、インスピレーションなど訪れなかった。

5

「……それは嵐の接近を待っているときに似ていた。まず待ち受けるときの静けさがあり、次には、気候が移り変り、影になり、蒸気になって大地に吹きくだるときの、かすかな空気の圧迫感がある。その変化はあなたの耳を圧迫し、あなたは近づく嵐を待つ時間のなかで宙吊りになる――」

彼は本から顔を上げ、ため息をついた。

うまく、読めなかった。気持ちが少しも集中していない。ほかのことばかり考えている。無論、ほかのこととは唯一つだ。

彼は窓際に立ち、カーテンを開けた。あの夜の出来事が、惨劇が、脳裏に蘇る。燃えた、見事に――。

あれほどのことになるとは、夢にも思わなかった。彼は目の前に起きたことが現実だとは、にわかに信じられなかった。しかし事実なのだ。

彼は瞼《まぶた》を閉じた。あの夜以来、この街に静けさが戻ってきた。だが皮肉なことに、今の彼はこの静けさを持て余していた。夜、部屋に一人でいると、底知れぬ闇に落ちていくような孤独感と恐怖に襲われるのだ。

彼はふと気づいて、オーディオ機器に近づいた。そのスイッチを操作し、テープデッキのテープを入れ替えた。さらに再生ボタンを押す。

ステレオから、明るい声が聞こえてきた。

『お兄ちゃん、元気ですか。荷物、届きました。面白そうな小説を、いっぱい送ってくれてありがとう。お兄ちゃんのおかげで、あたしもすっかり小説好きになりました。この間送ってくれた、パトリシア・コーンウェルの検屍官シリーズには、どきどきさせられました。今度送ってくれたものの中にも、コーンウェルの小説があるみたいなので、とてもうれしいです。でも睡眠不足になっちゃうのが、ちょっと悩みの種です。お兄ちゃんは、風邪なんかひいてないよね。こっちでは、おかあさんが三日前まで熱を出していました。でももう治ったから心配しないでね。あたしはとても元気です。この頃は、よく食べるといって冷やかされています。おなかのあたりを触ってみると、ちょっと肉がついたような気もします。だけど、少しぐらいいいよね。今度はいつ頃帰れますか。

帰れる時には手紙をください。お仕事大変だと思うけど、がんばってね。はるこでした』

妹の声のバックには、彼女の好きな女性歌手の声が流れていた。彼はそのBGMが終わるのを待って、ステレオのスイッチを切った。

静かな夜の闇に目を向けていると、故郷の町の景色が鮮やかに蘇ってくる。妹の手を引いて散歩した道、誰もが優しく声をかけてくれた町並み。

こんな目に遭うために、あの町を出てきたわけじゃない。心の中で、彼はそう呟いた。

6

その男がやってきたのは、一日分の仕事を終え、メインブレーカーを落とそうかと考えていた時だった。男がどこから入ってきたのか、いつ入ってきたのかわからなかったから、「ちょっとすみません」と声をかけられた時には、前島一之は心臓が止まるかと思うほど驚いた。

男は大型機械を搬入するためのシャッターの内側に立っていた。長身だが、眼鏡をかけているせいで、線の細い感じのする人物だった。しかしよく見ると肩はがっちりしているし、上着の袖から覗く掌には、張りのある筋肉がついていた。

なんですかと訊くかわりに、前島は警戒心を込めた目で見ながら軽く会釈した。すると男も頭を下げてきた。

この工場に知らない人間が入ってくることなど初めてだった。経営者を含めて三人しかいない小さな町工場なのだ。今日はその社長は、得意先との付き合いで早々に出かけていった。おまけに頼みの綱の相棒は、風邪で寝込んでいる。

「仕事を頼みたいんだけどな。ここだとかなり精密な加工をしてもらえると聞いたものだから」男は感情のこもらない声でいった。不気味な感じがした。

どうしようと、前島は思った。こんなふうに直接やってきた客にどう対処すればいいのか、全く見当がつかなかった。

彼が返事をしないものだから、男はいつまでも彼のことを見つめて立っていた。何らかの答えを聞かないことには引き下がらないぞ、という決意が漂っていた。

仕方なく前島は業務日誌を手に取り、今日の分の裏に『私は啞者です。口がきけません』と書いて男に見せた。

だが男はそれについては何もコメントしなかった。先程までと変わらぬ表情でこういった。

「正式な発注は後日出すつもりなんだよ。ただその前に、こちらの希望通りの加工ができるかどうかを確認しておきたくてね。ええと、実際に作業するのは君なんだろう？」

前島は頷きながら自分を指し、さらにその後で二本立てた。

「ああ、もう一人いるわけか。まあでもいいや、君がいれば。ええと、ちょっと機械を見せてもらってもいいかな」

前島は頷いた。社長が時々客を案内しているのを見ていたからだ。それに、見られて困るものなど何もない。

男は妙にゆっくりとした足運びで、まずそばに並んでいる機械に近づいた。

「ふうん、放電加工機が二台にワイヤカット機が二台ということだね。全部M社製か。一応NCも付いている」

それを聞いて前島は、あわてて日誌の裏に走り書きし、男の顔の前に突きつけた。男は声を出してそれを読んだ。

古い機種だからあまりむずかしい加工はできません——そこにはそう書いてある。

男はかすかに笑ったようだ。わざわざこんなふうに断る謙虚さがおかしかったのかもしれない。

だが前島としては、釘を刺しておいて悪いことはなかった。無理な仕事を引き受けて困るのは、自分たち作業者なのだ。

時田製作所というのが、この町工場の名前だった。時田はいうまでもなく社長の名字である。ここにある機械はすべて、時田社長がかつて勤めていた重機メーカーから安く払い下げてもらったものだ。耐用年数なども、はるかに過ぎている。それでも小回りのきく部品加工業者として、時田製作所は各方面から重宝されていた。

「ワイヤは〇・四ミリか」ワイヤカット機を覗き込んで男は訊いた。

前島は頷いた。よく知っている男だなと感心した。

ワイヤカット機とは、いわば電気エネルギーを使った糸鋸《いとのこ》だ。糸鋸は刃で被工作物を切っていくが、ワイヤカット機の場合は、ワイヤから出る細かい放電電流で被工作物を溶断していく。放電電流を小さく絞ってやることで、ミクロン単位にまで精度をあげることができる。

「この加工はどうかな。できるかな」男が一枚の紙を上着の内ポケットから出した。それは方眼紙の上に、雑な線で部品の形を描いたものだった。しかし加工精度に関する書き込みや指示などは、この男が素人でないことを示していた。

小さな部品だな、と図面を見て前島は思った。コーナー部分の条件がかなり厳しい。それを伝えたくて、図面上のその部分を指し、首を傾げて見せた。

「やっぱりそこが難しいかな。できなければ、できるレベルでということでもいい」

男は室内をじろじろ見回しながら壁に沿って歩いた。そして棚のパレットに入っている部品に気づくと、手で取って眺め始めた。ある会社から注文された自動車部品の試作品だった。

前島は近くの机を拳で叩いた。男は驚いた顔で振り返った。

前島はパレットを指し、手で触る格好をした後、両手で×印を作った。それで男も彼のいいたいことがわかったようだ。

「あっと失礼。金属製品を素手で触るのは御法度だったね。塩分で錆びてしまう」男は手に持っていた部品を、あわてて戻した。「それでどうかな、やってもらえそうかな」

前島は図面のいくつかの部分を指し、次に親指と人差し指を目の前に持っていき、三センチほどの間隔を作った。

「ああ、なるほどね。その部分の条件を緩めてくれるなら何とかなるかもしれない、と。ふうん」予想通りという顔で男は頷いた。「じゃあ、今日のところはいったんその図面を持ち帰って、明日また出直すとしよう」

それがいい、という思いをこめて前島は頷き、男に図面を返した。

だが図面を受け取った後も、男はすぐには帰らなかった。壁際に立ててあるガスボンベを眺めている。そこにはいろいろな種類のガスがあった。

「じつは、もう一つ教えてもらいたいことがあるんだがね」前島の視線に気づいたのか、男は人差し指を立てていった。

前島は身構えた。

男はいった。「妙なことを訊くようだけど、こういう放電加工機やワイヤカット機を使っていて、何か特殊な現象が起きたということは過去になかったかな」

本当に妙な質問だった。前島としては首を傾げるしかなかった。

「つまり」男は右手をひらひらと動かして続けた。「プラズマが発生したとかだよ」

前島は思わず目を見開いた。

「放電現象とプラズマとは密接な関係がある。それでこういうことを訊くわけだが」

前島は例の日誌の裏に、『花屋通りの事故のことですか』と書いて、男に見せた。

「まあ、そういうことだ」男は苦笑を浮かべた。それから上着のポケットに手を入れ、
今度は名刺を出してきた。「こういう者だけどね、例の事件が仲間うちでちょっとした
話題になっているんだ」

その名刺によると、この男は某有名大学の物理学助教授らしかった。前島は少し緊張
した。

「それでテスト加工をお願いするついでに、何か参考になりそうな話を聞けないかと思ったわけだよ」

前島は頷いた。それから日誌の裏に、こんなふうに書いて見せた。

『そんなものが出たことは一度もありません』

「プラズマが出たことはないという意味かい？」

前島は首を縦に振った。

「そうか」男は少し残念そうな顔をした。

前島はさらに文字を書いた。

『やっぱりプラズマですか』

「さあ、我々はそう考えているがね、今一つ決め手に欠ける」

どういうことだろうと思い、前島は首を捻《ひね》って見せた。

「プラズマは同じ場所に発生しやすいという性質がある。だから、またあのあたりに同じような現象が起きれば、まず間違いないということになるんだろうけどね」男はガスボンベの頭を叩きながらいうと、前島のほうを向いた。「仕事の邪魔をして悪かった。じゃあ加工精度のことを少し検討してから出直してくるよ」

お待ちしています、という気持ちを込めて前島は頭を下げた。自分に対し、全くふつうに接してくれた男の態度が嬉しかった。

大学の物理学助教授は、片手を上げると、シャッターの横にある扉から出ていった。

7

時田製作所から出てきた湯川は、いったん草薙の車を通り過ぎてからあたりを見回し、誰も見ていないことを確認した後、助手席に乗り込んできた。

「首尾はどうだい」草薙は訊いた。

「わからない。とりあえず、仕掛けのスイッチは入れておいた」

「なんだ、頼りないな」そういいながら草薙は車を動かした。ここでぐずぐずしていて、前島に見られたら元も子もない。

「人間が必ずしも、筋の通った行動に出るとはかぎらないからな。むしろその逆のほうが多い」

「まあそれはわかるけどな。それより、なぜあの工場に目をつけたんだ。あの怪現象の正体がわかったのなら教えてくれ」

「それについては、僕が説明するより、君が自分の目で見たほうがいいだろう。百聞は一見に如《し》かずというじゃないか」

草薙は舌打ちをした。「もったいぶるなよ」

「大丈夫。僕の考えが正しいのなら、おそらく近いうちにもう一度あの現象を見ることができるはずだ。その時には、僕があの工場に目をつけるに至った経過も話そう」湯川は自信に満ちた口調でいった。

ひどいお預けだなと草薙は口を歪めた。

一緒に行ってほしいところがある、と湯川から電話がかかってきたのは、今日の昼過ぎのことだった。それで会ってみて連れて行かれたところが、例の時田製作所だった。

時田製作所は今回の事件現場から近い。現場から二十メートルほど行ったところにある細い路地を、左に曲がった突き当たりだ。路地の入り口から真正面に工場の窓が見えた。

この場所を覚えておいてほしい、と湯川はいった。

「近々、例の怪現象が起きる。その時には、間髪を入れずにここを調べるんだ」

「どうしてそんなことがいえるんだ。またあんなことが起きるって」

草薙が訊くと、何でもないことのように湯川は答えた。

「なあに、あの現象が起きるように僕が仕掛けをするからさ」

「仕掛け？　どんな？」

「それは一緒にくればわかるさ。ただし、君は自分が刑事だってことを絶対に悟られるなよ」

こうして二人並んで工場に向かいかけた。ところがすぐそばまで行ったところで、草薙は思わず身を隠した。工場の中にいるのが、先日聞き込みをした、口のきけない青年だとわかったからだ。

「すると彼は、現場のすぐ近くに住んでいるのか」二人でいったん車に戻ってから、湯川が訊いた。

「近くも近く。窓を開けると、すぐ左下に現場が見える」

「そうか」湯川は頷いて車のドアを開けた。

「どこへ行くんだ」

「決まってるだろう。僕一人で行く。君がいるとまずいからな」

「何をする気なんだ」

「だから、仕掛けだよ」片方の頬で笑って、湯川は車から降りたのだった。

この男の頭を割って中を見てみたいものだと、ハンドルを握りながら草薙は思った。湯川が何を推理し、どんな根拠で再び同じ現象が起きると予言できるのか、全くわからなかった。わかっているのは、とりあえずは彼のいうとおりにするしかないということだった。


問題のT字路で第二の怪事件が起きたのは、湯川が予言してから三日目のことだった。現象は第一の事件と酷似していた。自動販売機の横に置かれた段ボール箱が、突然燃えだしたのである。しかし今回は被害者はいなかった。

ただし目撃者はいた。それはその三日前からずっと張り込みを続けていた刑事、つまり草薙だった。

草薙は最初何が起きたのかよくわからなかったが、それが例の怪現象だと思い当たると、即座に例の工場へ走った。

そして、それを見つけたのだ。もっともこの段階では、それが何であるのかも草薙は知らなかった。ただ、怪現象に関係しているに違いないと思われるものがあったのだ。

草薙はきびすを返し、例のアパートのそばまで戻った。すると、二階の二〇五号室から一人の男が出てくるのが見えた。草薙は咄嗟《とっさ》に隠れた。その男は、ちょうど草薙が来た方向に歩きだした。

草薙は尾行した。もちろん行き先はわかっていた。

男が時田製作所に入り、犯行の証を隠滅しようとしたところで、草薙は声をかけた。

青年は一瞬直立不動の姿勢をとり、それからゆっくりと振り向いた。

その顔は青ざめており、両方の目は真っ赤だった。

「君か……」といって草薙はため息をついた。

そこに立っていたのは、前島一之ではなく金森龍男だった。あのアパートでは、一〇五号室に住んでいるはずだ。

これは湯川も予想外だったろうと草薙は思った。

8

インスタントコーヒーを入れたマグカップは、相変わらずあまり奇麗には洗われていなかった。だがこの男とこれからも付き合わなければならない以上、これにも慣れなきゃならんだろうと草薙は思った。

「それにしても、レーザー光線だったとはなあ」カップを置き、彼はため息をついた。

「正確にいうと炭酸ガスレーザーだ」そういって湯川は頷いた。

「なんだ、レーザーにもいろいろと種類があるのか」

「あるさ。代表的なのは炭酸ガスレーザー、ＹＡＧレーザー、ガラスレーザーというところかな」

「レーザーという言葉はよく聞くが、実際に身の回りにあるとは思わなかったな」

「ＣＤプレーヤーなんかにも使われているんだが、人間を焼くほどのレーザー光線となると、ＳＦ映画のイメージになってしまうだろうな」

「レーザー銃というやつだな。でもあの工場にあったのは、とても銃とはいえない代物だった」

　時田製作所に置かれていたレーザー装置は、トラック一台ほどの大きさをした箱だった。社長によると、それもまた彼が以前働いていた会社から安く譲ってもらったものだという。それを使って、鋼板の切断や溶接を主に請け負っていたらしい。

「出力の大きいレーザー光線を発生させるには、炭酸ガスを含むレーザーガスを高速で流さなければならないし、高電圧放電を安定して行わせなければならない。装置が大きくなるのは当然だよ。あれだけ大きなレーザー装置でも、数ミリの鉄板を切るのがやっとなんだ」

「ジェームズ・ボンドはピストルぐらいの大きさのレーザー銃で、装甲車のボディを切ってたぜ」

「そんなことには百年経ってもならないと思うよ」湯川はあっさりといいきった。

「それにしても」草薙は腕組みをして、かつてのバドミントン仲間を睨んだ。「いつ気づいたんだ」

「何に？」

「レーザーだってことにだよ。かなり早い段階でわかってたんじゃないのか」

「ああ……」湯川は口を半開きにした。「少年の後頭部が先に燃えたという話から、その可能性についてぼんやりと想像してはいたが、確信したのは、やっぱりあの赤い糸の話かな」

「それも訊かなきゃいけなかった。あの糸の正体は何なんだ」

「なに、別に大したものじゃない。ヘリウム・ネオン・レーザーだ」

湯川の回答に、草薙はついうんざりした顔を作った。

「またレーザーか」

「そう嫌な顔をするなよ。こちらは馴染みがあるはずだ。歌手なんかがコンサートでレーザー光線を使うだろう。あれと同じだ」

「それがなぜあんなところを走ってたんだ」

「レーザー装置というのは、光の経路の調節がとても大事なんだ。それをしないと目的の出力が出ないし、第一どこにどんなふうにレーザー光が出てくるのかわからないということになる。だけど調節をするのに実際に高出力のレーザー光線を使ってたんじゃ、危なくて仕方がない。そこで調節の時だけ、害のないレーザーを使う。それがヘリウム・ネオン・レーザーだ」

「するとあんなところに赤い糸が見えたということは……」

「犯人が炭酸ガスレーザー光線の経路を調節するために、試しにヘリウム・ネオン・レーザーを走らせたのだろうと推理したわけだ。そこであの付近にレーザー装置を持っているところが必ずあるはずだと踏んで、ちょっと歩いて探してみたんだ。その結果、案外簡単にあの工場が見つかった。僕が見た部屋にはレーザー装置はなかったが、レーザーを使って切断したとしか思えない部品がパレットに入れて置いてあったよ。具体的には切断面に、細かい皺が入るんだ。またあの部屋にはレーザーを発生させるのに必要な炭酸ガスやヘリウムや窒素のガスボンベも保管してあった。だから別の部屋に炭酸ガスレーザー装置があることはすぐにわかった」

工場は、例のT字路から一区画行ったところを左に曲がった突き当たりにあった。二度目の事件の直後、警官が駆けつけた時には、そこの窓が開いていて、レーザー装置が真正面に見えたということだった。

「でもレーザーってのは、真っ直ぐにしか進まないんじゃないのか」

「だからミラーを使ったんだよ。おそらく工場から真っ直ぐにレーザーを飛ばすと、最初の角の電柱か何かに命中するんじゃないか。そこに表面に金をコーティングした専用ミラーを付けて位置を調整すれば、あのT字路に当てることもできるだろう。金はレーザーを百パーセント近く反射するからな」

「その調節に、ヘリウム・ネオン・レーザーを使ったということか」

「そういうことだ」

「でも見えたり見えなかったりしたのはどういうわけだ」

「基本的にレーザーは肉眼ではみえないんだよ。だけど何かの物質に当たると、反射光が見えることがある。ヘリウム・ネオン・レーザーの場合、煙なんかが舞っていたりすると、赤い筋になって見えるんだ。女の子に見えたのは、たぶんたまたま埃か何かが舞っていたからだろう」

「ふうん」草薙は頭を掻いた。わかったような、わからないような妙な気分だった。

「しかし、もう一人の作業員が犯人だったとは予想外だ。僕はてっきり、あの前島という青年が犯人だろうと思っていた。彼が現場近くに住んでいると、君から聞いていたからね」

「ところがそのもう一人の作業員も、同じアパートに住んでいたわけさ」

それが金森だった。なぜ最初に会った時に二人の勤務先を訊いておかなかったのかと、草薙は悔やんでいる。

幸い前島が湯川から聞いたことを金森に伝えたので罠が成功したが、一歩間違えればせっかくの仕掛けが無意味になるところだった。

「ところで、一つだけどうしてもわからないことがある」湯川がいった。それを見て草薙は、思わずにやりと笑った。

「なぜ二人の部屋が入れ替わっていたか、だろう？」

「そうだ。ええと、本来は一階が金森で二階が前島。それが逆になっていたんだったな」

「そういうことだ」

事件の時にどこにいたかと草薙が訊いた時、前島は床を指した。草薙はそれを、この部屋にいたという意味だろうと解した。じつは彼は、下の部屋にいた、といいたかったのだ。

「なぜなんだ。二階のほうが現場を見下ろしやすいから、犯行の日だけ、何か適当な理由をいって金森が前島君の部屋を借りたのか」

「いや、そうじゃない。あの二人は、もっと頻繁に部屋を交換しているんだ」

「何のために？」

「それがまあ、今回の犯行動機だよ」草薙はわざとゆっくりコーヒーを飲んだ。たまにはじらしてやるのもいいと思った。

そもそものきっかけは、金森が始めた声のボランティア活動だった。

これは、目の不自由な人のために図書館などで貸し出している、本の朗読テープを吹き込む仕事だ。誰にでもできるというものではなく、やはり専門のトレーニングを受けなければならない。金森も本格的に吹き込めるようになるまで、半年間ほどスクールに通っている。

「金森の妹が、目が不自由なんだよ。それで、そういうことをしようという気になったんだろうな。しかしトレーニングしたからといって、簡単にできるものでもなかった。驚いたことに専用の機械といったものが殆どないらしい。大抵は、各自が用意するんだそうだ。ふつうのテープデッキでいいそうだが、マイクは特殊なものでないとだめだってことだ。金森も、この専用マイクだけは買っている」

「マイクだけはってことは……ああ、なるほど」湯川は頷いた。事情を飲み込んだ顔だ。

「そうだ。金森は録音をする時、前島のオーディオ機器を借りていたんだ。奴が吹き込んでいる間、前島は金森の部屋にいたそうだ」

障害を持つ身である前島としては、金森の行為に協力しないわけにはいかなかったのだろう。彼は金森の部屋でテレビを見る時でも、イヤホンをつけるようにしていた。余計な雑音がテープに入ってしまわないようにという配慮からだ。

「そうしてもう一つ、金森としては前島の部屋を使うメリットがあった。それはすごい量の本だ。実際金森がこれまでに吹き込んだ本の大部分が、前島のものだ。事件の夜、『火星年代記』という本を読んでいたらしいが、それもそうだった」

「声のボランティアをするには、もってこいの部屋だったわけだ」

湯川の感想に、草薙は頷いた。

「そういうことだよ。連中が現れるまではな」

「連中……か」湯川も不快そうに眉を寄せた。

あのバイクの若者たちが出す騒音のせいで、最近はまともな録音が全くできなかったと金森はいっている。何とか吹き込めたと思っても、肝心なところにエンジン音が入っていたりしたらしい。

「それで頭にきて、殺すことにした……というのか」

「いや、殺す気はなかった、といっている。ポリタンクのガソリンに火をつけて、ちょっと脅かす程度の考えだったようだ」

「ところが容器の前に人が立ってしまったというわけか。レーザー光線は後頭部に命中して、あんなことになってしまった」

「延髄が先に焼けて、おそらく山下良介は即死に近かったんじゃないかと考えられている」医師から聞いた話を草薙はした。

「山下が倒れてから、レーザーは予定通りにポリタンクを燃やしたということか」湯川は眼鏡の中央を少し押し上げた。「金森は遠隔操作でレーザー装置を動かしたのか」

「電話を使ったそうだ。レーザー装置はパソコンで制御できるようになっていたらしいが、電話のプッシュ音をあるパターンで送ってやることで、電話回線に繋がれたパソコンが作動するようにプログラムされていたそうだ」手帳を見ながら草薙はいった。自分で話していながら、意味をよく理解していなかった。「そのために、コードレスホンの子機を前島の部屋に持っていってたらしい。前島は電話を持っていないからな」自分から伝えることのできない前島にとって、電話は苛立《いらだ》ちを呼ぶものにすぎないということだった。したがって彼の最高のコミュニケーションツールはポケベルということになる。

「それで金森としては、俊敏な操作ができなかったわけだな。光軸に人間が立ったとわかった時には、すでに遅かったのかもしれない」

「あいつも不幸な男なんだよ」草薙はしみじみといった。「前は騒音のせいでうまく吹き込みができなかった。ところが事件の後は、人を殺してしまったという動揺から、声が震えてやはりうまくいかなかったというんだな」

「わかるような気がするな」

「俺があいつを警察に連れて行く時、あいつは一つだけ俺に頼み事をした。何だと思う？」

「なんだ？」

「童話を一冊、吹き込ませてくれってことだよ。今なら、うまく読めるような気がするからだってさ」

「ふうん、童話をね」

二人はしばらく沈黙した。やがて湯川は伸びを一つして立ち上がった。

「インスタントコーヒーのおかわりは？」

「もらおう」といって、草薙はマグカップを差し出した。

第二章 転写る

うつる

1

首を左右に振ると、ぽきぽきと音がした。同じ姿勢を続けすぎたからだ。

藤本孝夫は、ぴくりとも動かない浮きを見て、すぐ横で大欠伸《おおあくび》をしている山辺昭彦を睨んだ。

「おい、山辺。おまえやっぱ、かつがれたんだよ。こんなところで鯉が釣れるわけないだろう」

するとと山辺は、先程から全く変化のない水面に目を向けたまま、首を傾げた。

「おかしいなあ。だけど斉藤の家で見たんだぜ。水槽の中に、ここで釣ったっていう鯉がいたんだけどな」

「だからそれは別の場所で釣ってきた鯉だよ。斉藤の奴に騙《だま》されたんだ」

「そうかなあ」山辺は依然として首を傾げたままだ。

二人は中学の同級生だった。家が近いので、小さい頃から一緒に遊んでいたが、特に釣りを共通の趣味にしていた。二人とも、父親の影響を受けてのことだった。

町から自転車で二十分ほど走ったところにある、自然公園のひょうたん池で鯉が釣れるという話を仕入れてきたのは山辺のほうだ。一年の時の同級生だった斉藤浩二が、そういっていたというのだ。

「嘘だろ、あんなところに鯉なんかいるわけないだろ」というのが、藤本孝夫のその時の感想だった。

「それがさあ、昔あそこで養殖しようとした奴がいるらしいんだよ。その時の生き残りっていうか、子孫っていうか、とにかくそういうのが何匹かいるって話なんだ。いつもはめったにかからないけど、秋になると冬に備えて荒食いするから、ポイントさえ選べば釣れるっていうんだよな」

これが山辺の説明だった。

それでもやはり眉唾《まゆつば》ものだったが、全くありえない話でもなかったし、釣りも久しくしていないということで、日曜日に待ち合わせて、このひょうたん池までやってきたというわけだった。

だが結果は藤本孝夫の予想通りだった。鯉はおろか、魚らしきものの泳いでいる気配がなかった。

この池じゃあ当然だよな、と孝夫は前を見てため息をつく。悲惨としかいいようのない状況が、そこにはあった。

池の大きさは、彼等の学校にあるプールぐらいだった。やや細長く、中央部がくびれているのが、ひょうたん池の名前の由来である。周囲が雑草に囲まれ、自然公園のハイキングコースから外れていることもあり、地元の人間でも、この池の存在を知らない者は多い。昔はここにアメンボやミズスマシがいたといわれているが、現在の状態からは想像もできないことだ。

一見してまず目につくのは、発泡スチロール、プラスチック容器といったゴミである。それが水面上にいくつも浮かび、それらを包むように灰色をした油の膜がいたるところで広がっている。そして建築資材の廃材や機械部品と思われる金属物までもが、池の縁に投げ込まれていた。

コースから寄り道したハイカーたちにとっては、もはや巨大なゴミ箱にすぎず、どこかのもっと悪質な人間たちにとっては、便利な粗大ゴミ投棄所なのだろうと藤本は思った。

藤本孝夫は釣り糸を手繰《たぐ》りよせ、竿を片づけ始めた。

「だめだ。もう帰ろうぜ」

「だめかなあ、やっぱり」山辺はまだ未練があるようだ。

「いるわけねえじゃん。時間の無駄だよ。こんなことしてるぐらいなら、家でゲームでもしてるほうがましだ」

「それもそうかな」

「そうだよ。帰るぜ」藤本は荷物をまとめると立ち上がった。

「騙されたのかなあ」

「騙されたんだよ。決まってるだろ」

それでも山辺は唸りながら池のほうを見ている。馬鹿じゃないか、と藤本は口の中で罵《ののし》った。

その時だった。

「あれ？」山辺が、それまでとは違った口調でいった。「なんだろ、あれ」

「なんだ？」

「あれだよ。ほら、あそこで光ってるやつ。右のほうで浮いてるじゃないか」

山辺の指すほうに藤本は目を向けた。三十センチぐらいの大きさの平たいものが、太陽の光を反射しながら水面を漂っているのが見えた。

「鍋か何かじゃないのか」と藤本はいった。「コンビニで売ってる鍋焼きうどんの容器とかさ。別に大したもんじゃないよ」

「そうかなあ。あれ、ちょっと、変なものに見えるんだけどな」山辺は腰を上げ、ジーンズの尻についた土をぽんぽんとはたきながら、池の縁に沿って歩きだした。手には竿を持ったままだ。

藤本も、うんざりした顔つきであとを追った。騙されて、こんなところまで友人を付き合わせたことに対する照れ隠しで、おかしなことをいいだしたのだろうと思っていた。

その奇妙なものに最接近したところで山辺は足を止めた。それは池の縁から二メートルほどのところに、牛乳の紙パック容器と並んで浮かんでいる。

山辺は竿を使い、それを手前に引き寄せ始めた。やがて手が届くところまで近づくと、それがどういうものであるか、藤本にもわかってきた。

「何だ、それ……」

「やっぱりコンビニのアルミ鍋なんかじゃなかっただろ」そういいながら山辺は、その奇妙なものを取り上げた。

2

舞台に上がった四人の少女を見て、草薙は客席で目を丸くした。どう見ても十三、四歳とは思えなかったからだ。ただ化粧を濃くしているだけではなく、それぞれの顔立ちに合わせて、最も大人っぽく、かつ女っぽく見えるようメイクアップが施されている。

さらに着ている衣装が大胆だ。そしてその露出度の高い服が、もはや滑稽でないほどの肉体を彼女らは持ち合わせていた。繁華街でこの子たちを見たとしても、補導することはないだろうと警察官である彼は思った。

激しいリズムの音楽が流れ、四人の少女たちが踊りだした。それを見て彼は改めて圧倒されることになった。ここが中学校の体育館であることを一瞬忘れた。

「この子たちは、学校へ一体何をしに来ているんだ？　水商売の勉強でもしてるのか」

草薙は小声で、隣席の森下百合に話しかけた。

「この程度で驚いちゃだめよ」彼の実姉は舞台に目を向けたままいった。「中には先生を誘惑しちゃう子だっているんだから」

「本当かよ」

「美砂がいってた。去年の卒業生の中に、先生の子供を妊娠してた子がいたそうよ」

やれやれ、と口に出していう余裕もなく、草薙は首を振った。

娘が文化祭で舞台に立つので、一緒に見に行ってほしいと姉から頼まれたのは、昨夜のことだ。ビデオカメラで撮影したいのだが、自分には扱えないから、代わりに撮ってほしいというのが真の理由のようだった。今日は土曜日だが、彼女の夫は急遽《きゅうきょ》出張しなくてはならなくなったらしい。

それでビデオカメラを手に姉と共にやってきたわけだが、体育館に入る時に看板を見て驚いた。『ダンス選手権』と書いてあったからだ。舞台に立つというから、てっきり芝居だと思い込んでいたのだ。

「ほら、次が美砂たちの番よ」

百合に膝をつつかれ、草薙はあわててカメラを構えた。

司会者の紹介があり、やがて五人の少女が現れた。カメラ越しに彼女たちを見て、草薙は、またしても口をあんぐりと開けることになった。少女たちは真っ赤なチャイナドレスを着ていた。しかも腰のすぐ横までスリットが入っている。

会場のあちこちから口笛が鳴った。


「近頃の女の子はあんなものよ」体育館を出てから百合がいった。

「義兄さんの苦悩が目に浮かぶようだな」

「今はもう慣れたみたい。でも、ちょっと前までは父娘喧嘩の連続よ」

「それはまた、同情するね」

ふふふ、と姉は笑った。母親のほうは、娘が大人っぽくなることに、抵抗は全くないらしかった。

「美砂を呼んでくるから、一緒にご飯でも食べない？　ビデオのお礼に、おごるわよ。といっても、このあたりじゃファミレスぐらいしかないけど」

「悪くないね」

「じゃ、このあたりで待ってて」

再び体育館のほうへ歩きだした姉の後ろ姿を見送った後、草薙はそばの剣道場に目を留めた。そこには、『変なもの博物館』という看板が出ていた。

暇つぶしにはなりそうかなと思い、彼は入り口に足を向けた。

退屈そうにしている受付係の前を通って中に入ると、本当に変なものばかりが陳列されていた。『甲子園の土を焼き固めて作ったレンガ』には、小さな円形の穴がいくつも開いており、「サヨナラ負けしたチームの悔し涙が、穴になってしまいました」という説明がつけられていた。また、どこかで拾ってきたとしか思えない使い古しの絨毯《じゅうたん》には、『空飛ぶ絨毯（ただし飛行時間超過により退役）』という解説がついていた。

これは時間の無駄かなと思いながら歩いていた彼の足が止まったのは、壁にかけられた、ある陳列品の前だった。

それは石膏《せっこう》で作られた人間の顔だった。説明書きには、『ゾンビのデスマスク』とある。男が目をつぶっている顔だ。額の中央に、黒子《ほくろ》と思われる丸い大きな突起がある。年齢はよくわからない。だが中学生の顔でないことはたしかだった。

極めてリアルに出来ていることから、彫って作ったのではなく、ゴムか何かを使って実際の顔の型をとり、そこに石膏を流して固めたのだろうと草薙は推定した。最近は数分で固まるゴムがある。

しかしそれにしても――。

彼は石膏の顔を眺めながら、奇妙な感覚に襲われていた。この自分の中に芽生える不安感は何だろうと思った。そしてしばらく考えてみて、その原因に気づいた。

彼は刑事だった。捜査一課なので殺人を扱う。当然死体を見る機会は少なくなかった。死者には独特の表情がある、というのは彼のこれまでの経験から得たことだった。生きていて単に目をつぶっているだけの顔とは、根本的に違うものがあるのだ。それは顔色だとか、皮膚のつやといった物理的なことではない。顔全体の表現している世界が異なるのだ。

このデスマスクには――。

それがある、と草薙は思った。が、同時に、まさかと思う。中学生が、実際の死体の顔を使って、この石膏製の不気味なマスクを作ったとは考えられなかった。

たまたま、うまく雰囲気が出たということかな、と彼は自分を納得させることにした。そうしないことには、この落ち着かない気持ちを処理できなかった。

彼はほかの展示品をさっと眺めただけで、出口に向かった。それでもやはりデスマスクのことが気に掛かっていた。

その時二人の女性が入ってきた。どちらも三十歳ぐらいに見えた。彼女らは草薙のほうなど見向きもせず、足早に奥へ進んだ。その様子が、中学生たちの洒落《しゃれ》っけに満ちた展示品を見ようとするには、あまりにも切迫したものだったので、草薙はつい足を止め、目で追った。

二人の女性が真っ直ぐに突き進んでいった先は、例のデスマスクの前だった。スーツ姿の女性のほうがいった。「これなんだけど」

もう一人のワンピースの女性は、すぐには返事をしなかった。マスクのほうを向いたまま、じっと立っている。だがその表情が尋常でないらしいことは、彼女を横から見ているスーツの女性の顔色が、みるみる青ざめていくことから察せられた。そして草薙は気づいた。ワンピースの女性の細い肩が、小刻みに震えている。

「やっぱり……そう?」スーツの女性が訊いた。

ワンピースの女性は、一度大きく身体をくねらせると、絞り出すような声でいった。

「兄さんよ、間違いない……」

ワンピースの女性の名前は柿本良子といった。都内の保険会社に勤めているということだった。スーツの女性は、この学校の音楽教師で小野田宏美。柿本良子とは学生時代からの友人だという。

「ええと、まず小野田さんが、このデスマスクを見て、柿本進一さんに似ていると気づいたわけですね」手帳に書いたメモを見ながら、草薙は確認した。

「そうです」小野田宏美は背筋をぴんと伸ばしたまま頷いた。「あたしの夫と柿本さんが昔からの知り合いで、何度かゴルフで御一緒したことがあるんです。その柿本さんが、前から行方不明だと聞いていて、心配していたんですけど……」

「これを見つけた時には驚いたでしょうね」テーブルの上の石膏製のマスクを、草薙はボールペンで指した。

「ええ、それはもう」小野田宏美は、唾を飲み込むように喉を動かした。「まさかと思いました。でも、あんまり似ているし、黒子の位置まで同じでしたから、彼女に話さないわけにはいかなかったんです」そして隣でうなだれている柿本良子のほうを見た。

「たしかにお兄さんだと思いますか」草薙は柿本良子に訊いた。

そう思います、と彼女は小声で答えた。まだ目の縁が赤いままだった。

草薙は腕組みをし、デスマスクを見下ろした。思わず、小さい唸り声を漏らしていた。

ここは中学校の中にある応接室だった。例のマスクを見ていた彼女たちの反応がふつうではなかったため、草薙のほうから話しかけたところ、何らかの事件に関わりがあると思われる話が返ってきた。それで詳しい事情を訊くことにしたのだった。その話というのが、デスマスクの顔が、この夏に行方不明になった柿本良子の兄、進一に酷似しているというものだった。

草薙は、彼等から少し離れたところにパイプ椅子を置いて座っている、痩せた中年男のほうを向いた。あの『変なもの博物館』を開いている理科クラブの顧問教師で、林田といった。

「先生は、これについては何も聞いておられないわけですね」デスマスクを指して、草薙は訊いた。

林田教諭は、ぴくんと背中を伸ばした。

「ええ、はあ、あの、それについては全く。あの、展示については、全部生徒たちに任せましたから。ええと、生徒の自主性をですね、重んじようと思いましたから」言い訳するような口調になるのは、このことが何らかの責任問題に発展することを恐れているからかもしれなかった。

その時、ドアをノックする音がした。林田が立ち上がり、ドアを開けた。

「ああ、待ってたぞ。入りなさい」

林田に促されて入ってきたのは、二人の男子生徒だった。二人とも、この年代の男子に多い、細い身体つきをしていた。片方は眼鏡をかけていて、もう一人は額にニキビが多かった。

山辺昭彦と藤本孝夫というのが二人の名前だった。眼鏡のほうが山辺だ。彼は手に四角い紙の箱を持っていた。

「君たちがこれを作ったんだね」草薙は二人の顔を交互に見ながら訊いた。

二人の中学生は、お互いをちらりと見た後で、小さく頷いた。何が問題なのかわからないといった表情に、草薙には見えた。

「この顔の型は、どうやって取ったんだい？」と草薙は訊いた。「型に石膏を流し込んで作ったんだろう？」

すると山辺は頭を掻き、「拾ったんです」と、ぼそりと呟いた。

「拾った？」

「これです」

山辺は持っていた箱の蓋《ふた》を取った。そしてその中から取り出したものを、草薙のほうに差し出した。

「これは……」草薙は目を見張った。

それは金属製のマスクだった。いや、正確にいうならば、マスクとは顔の凹凸が逆になったものだった。だからここに石膏を流し込んで固めれば、展示されていたデスマスクのようになるわけだ。

材質は、草薙にはよくわからなかった。厚みは飲み物のアルミ缶程度に見える。そこに転写されている顔の造作は、間違いなく石膏のデスマスクと同じものだった。

「これをどこで拾ったんだい」と草薙は訊いた。

「ひょうたん池です」と山辺は答えた。

「ひょうたん池？」

「自然公園にある池です」と藤本が横から口を挟んだ。

二人の説明によると、金属マスクを拾ったのは先週の日曜日らしい。山辺のほうが、これを使ってデスマスクを作ることを思いつき、実際にやってみたところ、あまりに上出来なので、彼等が所属している理科クラブの展示品の一つとして急遽出品することにした、ということだった。

「ほかに、こういうものは落ちていなかった？」

「落ちてなかったよなあ」山辺が藤本に同意を求めた。藤本も黙って頷いた。

「池に何か変わった様子は？」

「変わったって？」

「だから、いつもと違うところはなかったかい。何か気がついたこととか」

「だって、俺たち、いつもあの池に行ってるわけじゃないですから」山辺は唇を尖らせた。藤本も、特に発言する気はないようだった。

草薙は、不安げな表情で二人の中学生を見つめている、柿本良子のほうを向いた。

「ひょうたん池と聞いて、何か心当たりは？　お兄さんが、よく散歩に行ったとか」

「聞いたことありません」彼女はかぶりを振った。

草薙は顔をこすり、これまでにメモした内容に目を落とした。

これを何らかの事件の気配と考えるべきかどうか、彼は判断に迷った。もちろん彼が判断すべきことではないのだが、この奇妙な話をどう上司に報告すればいいのかわからなかった。

「あの、刑事さん……」林田教諭が遠慮がちに口を開いた。「もしもこの型の顔が、こちらのお兄さんのものだった場合ですね、ええと、何か問題が」

気の弱そうな教師がそこまでいった時、再びドアがノックされた。はい、と林田が答えると、ドアが開き、男が顔を覗かせた。

「あのう、柿本さんという方がいらっしゃいましたけど」

「義姉《あね》だわ」柿本良子がいった。

草薙は頷いた。ここで話を聞く前に、良子に連絡してもらったのだ。

「入ってもらってください」と草薙は、ドアを開けた男にいった。

男が返事をする前に、ドアが大きく開けられた。そして一人の女が入ってきた。長い髪を無造作に後ろで束ねた、三十歳半ばぐらいの女だった。あわててとんできたらしく、化粧を全くしていなかった。

「義姉さん、これを……」といって、柿本良子が石膏のデスマスクを指差した。

入ってきた女は、目を血走らせていた。その充血した目は、テーブルの上のマスクを捉えるなり、一層大きく見開かれた。

「旦那さんに――」

似ていますか、と草薙は訊こうとした。だがその必要がないことを察知し、唇を閉じた。彼女は右手で自分の口元を覆うと、呻《うめ》き声を漏らしながら、その場に崩れた。

3

研究室のいつものドアに貼ってある行き先表示板には、湯川学が在室していることを示すマグネットがくっつけられていた。それを確認してから彼はドアを二度叩いた。どうぞ、という声が中から聞こえた。

ドアを開けると同時に、ぽん、という何かを軽く叩くような音が左方でした。音のしたほうを見ると、浮き袋ほどの大きさの白い煙の輪が、ゆっくりと彼に向かって空中を移動しているところだった。

「おっ」草薙は一瞬たじろいだ。

もう一度、ぽん、という音がした。同じ方向から、先程と同じような白い輪が漂ってきた。蚊取線香の匂いがする。

目が慣れてくると、薄暗い部屋の隅に大きな段ボール箱が置いてあるのが見えてきた。

箱の正面には直径十数センチの穴が開けられている。そして箱の横には、白衣の袖を肘《ひじ》の上までまくりあげた、湯川学が立っていた。

「歓迎のノロシだよ」そういって段ボール箱の後ろを、ぽんと叩いた。

箱の前面に開けられた穴から、白い煙の固まりが吹き出してきた。それはたちまちドーナツ形になり、草薙のほうへ向かった。

「なんだ、それ。どういう仕掛けになっているんだ」煙の輪を片手で払いのけながら草薙は訊いた。

「仕掛けなんてないさ。箱の中に蚊取線香を入れてあるだけだ。煙が充満した頃を見計らって箱を軽く叩いてやれば、いくつでも煙の輪を生み出すことができる。君たち愛煙家の中には、口から輪を吐いて喜んでいる輩《やから》がいるが、まああれと同じだ。全く、流体というのは、興味深い現象を見せてくれるもんだよ。世間でいわれている不思議な現象のいくつかは、流体の悪戯《いたずら》だろうというのが僕の説でね」湯川は壁のスイッチを入れた。薄暗い室内に、蛍光灯の光が満ちた。

「その調子で、俺が抱えている不思議な話を解決してくれると助かるんだがな」草薙はいった。

湯川はスチール椅子に腰かけた。

「今日はどういう不思議な話を持ってきたんだ？　亡霊でも出たのかな」

「いいセンだな」草薙は持ってきたスポーツバッグを開け、透明プラスチック容器に入った品物を取り出した。「亡霊のマスクだよ」

容器の中の金属製のマスクを見て、湯川は片方の眉を上げた。

「拝見しよう」彼は右手を伸ばした。

アルミだな、と湯川はマスクを手にするなりいった。

「それだけは、俺でも最初に見た時からわかったぜ」草薙は鼻を膨らませた。

「まあ、それぐらいのことは小学生にもわかるだろう」湯川はあっさりといった。「で、これがなぜ亡霊のマスクなんだ？」

「それがおかしな話でさ」

草薙は姪《めい》の中学校での出来事を話した。物理学教室の助教授は、椅子にもたれ、両手を頭の後ろに回し、目を閉じて聞いていた。

「で、このマスクの主は、その行方不明の男だったわけかい？」

一通りの話を聞いたところで湯川は質問した。

「まあね」と草薙は答えた。「どうやら、そう考えて間違いないようだった」

「どうしてそれが確認できた？」

「死体が見つかったのさ」

「死体？」湯川は身体を起こした。「見つかったというと、その、何といったかな」

「ひょうたん池からさ」草薙はいった。

死体が引き上げられたのは、三日前のことだ。柿本進一の妻昌代と妹良子の、マスクの主は進一に違いないという主張に基づき、警察がひょうたん池の捜索を行ったところ、数時間後に発見されたのだった。

死体は腐敗がひどく、衣類も持ち主を限定できる状態にはなかった。だが歯の治療跡などから、柿本進一に間違いないと断定されるまでに、時間はかからなかった。

「なぜ死体の顔の型が、池に落ちていたんだ」と湯川は眉間に皺を寄せて訊いた。「しかも金属製の型が」

「それがわからないから、ここへ来たんだよ」

草薙の言葉に、湯川は鼻をふんと鳴らし、中指で眼鏡を少し押し上げた。

「僕は霊媒師じゃないぜ。もちろん、過去に戻れるタイムトラベラーでもない」

「だけど、このマスクの正体を明かすことはできるだろ？」草薙は金属マスクを取り上げた。「これについてわからないことが二つある。一つは、どうやって作ったか。もう一つは、なぜ犯人はこんなものを作ったか、ということだ」

「犯人？」湯川は眉を寄せた。それから学生時代からの友人の顔を見つめ、ゆっくり首を縦に動かした。「なるほど。他殺でなければ、捜査一課の刑事が血相を変えることもないわけだったな」

「頭蓋骨側頭部が陥没していた。かなり重量のある固い鈍器で、しかも力いっぱい殴られたと考えられる」

「犯人は男か」

「あるいは、腕力のある女だな」

「マスクの主には妻がいるといったな。その女はどうだい。真犯人は身近にいる、しかも女、というのは推理小説のセオリーだが」

「小柄で、非力そうな女だ。彼女には無理だと思うね。まあ、容疑者リストから無条件で外すつもりはないけどさ」

「女房が旦那を殺して死体を池に捨てたが、思い出のためにデスマスクを作り、それに使ったアルミ製の型も捨てたというのなら、一応筋が通るんだがね」

湯川は草薙の手から金属マスクを受け取り、改めて観察し始めた。軽口を叩いてはいるが、目が科学者のものになっていた。

「どうやって作ったか、それだけでも推理してくれるとありがたいんだけどな」湯川の手元を見ながら草薙はいった。

「一応警察でも検討はしてみたんだろう？」

「鑑識の連中に相談して、いろいろとやってみたさ」

「たとえば？」

「まず最初に試したことは、同じように薄っぺらいアルミの材料を持ってきて、直接人の顔に押しつけるという方法だ」

「面白いな」湯川は、にやにやした。「で、結果はどうだった？」

「全然だめだった」

「そうだろうな」湯川は小さく吹き出した。「そんなことで顔の型がとれるなら、蠟《ろう》人形師たちの手間も、大幅に省けるだろう」

「どう慎重にやっても、顔の肉が変形してしまう。極端なことをいうと、ストッキングをかぶったような顔の型しか取れない。それで、こう考えた。生きている人間の顔だから、うまくいかないんじゃないか、とね。死体ならうまくいくんじゃないか」

「死後硬直するからな」湯川は頷いた。笑いを顔から消していた。

「実際の死体を使うのはさすがに抵抗があったんで、別の事件の時に復顔した模型を使って実験してみた。すると今度は、それらしきものはできた」

「それらしきもの？」

「顔の型らしきもの、という意味だよ。残念ながら、そんなに見事なものはできなかった」草薙は湯川の手にある金属マスクを指した。「具体的には、それほど細部の凹凸が正確には出せなかった。もっと薄い材料、たとえばアルミ箔のようなものを使えばできないことはないが、その厚みの材料では難しい」

「アルミ箔で作っていたら、現在もこの形を保ち続けていたかどうかは怪しいね」

「とにかく、強くて、しかも完璧に均等な力を、アルミ材料に加え続けることが必要だろうというのが、鑑識の意見だった」

「同感だな」湯川は金属マスクを机の上に置いた。「製造法については、そこで暗礁に乗り上げたわけか」

「まあ、そういうことだ」草薙は頷いた。「どうだい。物理学教室の湯川先生でも、やっぱりお手上げかい？」

「そんな挑発に乗るほど、僕は単純じゃないぜ」湯川は立ち上がり、ドアの横にある流し台のところへ行った。「さてと、コーヒーでも飲むかい？」

「俺は結構。どうせインスタントなんだろ」

「インスタントコーヒーを馬鹿にしてもらっては困るね」湯川は、相変わらずあまり奇麗に洗っているとは思えないマグカップに、安物のコーヒー粉を入れ始めた。「製法について、うんざりするほど多くの試行錯誤がなされている。あまり知られていないことだが、最初に商品化されたインスタントコーヒーは、日本人が開発したものだ。この時にはドラム乾燥法という方法が使われた。まあ、早い話がコーヒー抽出液を単純に乾燥させただけだ。その後マクスウェル社が噴霧乾燥法を開発して、インスタントコーヒーの味は格段に向上し、消費も伸びた。さらに七〇年代に入って真空冷凍乾燥法が登場し、現在の主流となっている。どうだい、一口にインスタントコーヒーといっても、なかなか奥が深いだろう？」

「そうはいっても、インスタントはちょっとね」

「どんなものでも、簡単には作れないということをいいたいのさ。アルミのマスクでも、インスタントコーヒーでも同じことだ」湯川はマグカップに湯を注ぎ、スプーンでかき回した後、立ったままでコーヒーの匂いをかぐ格好をした。「いい香りだ。科学文明の匂いがする」

「このマスクからは、その匂いがしないのかい？」草薙は机の上を指した。

「するね。ぷんぷんと」

「だったら――」

「二、三、質問がある」マグカップを持ったまま、湯川はいった。「そのひょうたん池というのは、どういう池だ。どんなところにある？」

「どういう池といわれても……」草薙は顎をこすった。「山の麓にある、ふつうの小さな池だ。ゴミがいっぱい捨ててあって、汚いというのが特徴といえなくもない。周りは草むらで、近くにはハイキングコースなんてのもある。そこらへん一帯が自然公園ということになっているんだ」

「猟は行われているかい」

「リョウ？」

「狩猟のことだ。猟銃を持ったハンターが、うろうろしてるってことはないのか。それも散弾銃ではなく、ライフルのほうだ」

「ライフル？　冗談だろ」草薙は笑った。「あんな小さな山に、そんなものを使わなきゃならないような獲物がいるわけない。動物園からライオンが逃げたという話も聞かないな。とにかく、あそこじゃ猟は禁止だ」

「そうか、やっぱりな」湯川は真剣な顔つきでコーヒーを啜《すす》った。どうやら冗談でライフルのことを訊いたわけではなさそうだった。

「なんだ、ライフルがどうかしたのか。さっきもいったけど、死体は側頭部が鈍器で殴られていて――」

「いや、わかっている」湯川はカップを持っていないほうの手で、草薙を制した。「死因のことをいってるんじゃない。マスクの製造法について考えているんだ。だけど、どうやらライフルは関係ないようだ」

草薙は途方に暮れた気分で、やや変わり者の友人を見上げた。この男と話していると、時折、自分がひどく血の巡りの悪い人間のように思えることがあるのだった。今も、なぜここにライフルの話が出てくるのか、全く見当がつかなかった。

「一度、見に行くか」湯川が、ぽつりといった。「その、ひょうたん池をさ」

「いつでも案内するぜ」と草薙は応じた。

4

湯川と別れた後、草薙は同僚の小塚刑事と待ち合わせて、柿本進一の家を訪ねることにした。通夜や葬儀で、昨日まではゆっくりと妻の昌代からも話を聞くことができなかったのだ。

柿本家は国道から坂道を上ったところにある住宅街の、一番奥に建っていた。門があり、小さな階段を上がった先に玄関があった。隣のガレージには、シャッターが下ろされていた。

柿本昌代は家に一人でいた。さすがに少し疲れた様子だが、髪は奇麗にセットされていたし、化粧をしているので、先日会った時よりは若く見えた。喪中を意識してのことか、黒っぽい地味な色のシャツを着てはいたが、小さな真珠のピアスをつけていたりして、それなりに身なりには気を遣っているようだ。

草薙は小塚刑事と共に応接間に通された。八畳ほどの大きさで、革張りのソファが置いてあった。壁際の棚には、トロフィーがいくつも並んでいる。ゴルフ大会でもらったものらしいことは、先端についている飾りから明らかだ。

柿本進一は歯科医だったらしい。父親の建てた診療所を、そのまま引き継いできたという話だった。その診療所に通っていた患者たちは困っているだろうなと、壁に貼られた何かの表彰状を見ながら草薙は思った。

通夜や葬儀がどれだけ大変だったかということについて、昌代が暗い顔で話すのを一通り聞いた後、草薙は本題に入ることにした。

「その後、何か新たに思い出したことはありませんか」

すると昌代は頬に右手をあて、まるで歯の痛みをこらえるような表情をした。

「主人の遺体が見つかってからも、いろいろと考えるんですけれど、本当に何も心当たりがないんです。どうして突然、こんなことになってしまったのか……」

「ご主人と、ひょうたん池の繋《つな》がりについてはどうですか。やはり思い出すことはありませんか」

「ございません」彼女は首を振った。

草薙は手帳を開いた。

「ええと、もう一度確認したいのですが、奥さんが最後にご主人と接触されたのは、八月の十八日、月曜日の朝でしたね」

「はい。そのはずです」昌代は即座に答えた。壁のカレンダーすら見ないのは、この点

について は何度も訊かれているからだろう。

「その日ご主人はゴルフの約束があるということで、朝の六時に、こちらのお宅の前から車で出発されたということでしたね。車はたしか」草薙は手帳に目を落とした。「ええと、黒のアウディ。ここまでで、何か訂正したいことはありますか」

「いえ、そのとおりです。ちょうどお向かいの浜田さんが、御家族で伊豆かどこかへお出かけになる日だったんです。それで、あちらも朝早くから車に荷物を積んだりして準備されてたのを覚えています。ですから、十八日に間違いないはずです」昌代は淀みなく答えた。

「それで、ええと、ご主人がお帰りになられないということで、警察に捜索願いをお出しになったのが、翌日の昼ですね」

「そうです。もしかしたらゴルフの後で、お酒を飲み過ぎたりして、どこかに泊まることになったのかもしれないと思いましたから。以前、一度だけそういうことがあったんです。でも次の日になっても、何の連絡もありません。そこでゴルフを御一緒したはずの人の家に電話したところ、主人とゴルフになんか行ってないというお話だったんです。それでさすがに心配になって……」

「警察に届けたということですね」

はい、と昌代は頷いた。

「朝、ご主人が出発されてからは、一度も連絡がなかったわけですか」

「ありませんでした」

「奥さんのほうから連絡をとろうとはなさらなかったのですか。ご主人は携帯電話をお持ちのようでしたが」

「夜、何度もかけてみました。でも繋がりませんでした」

「それはどういう感じでしたか。コールサインは鳴るけれども、誰も出ないというふうでしたか」

「いえ、たしか、相手が電波の届かないところにいるか、電源を切っている、というようなアナウンスが流れたと思います」

「なるほど」

草薙はボールペンの頭を親指でかちかち押し、ペン先を出したり引っ込めたりした。いらいらした時の癖だった。

柿本進一が乗って出たという黒のアウディは、じつは彼が失踪した四日後に、埼玉県の高速道路脇で発見されていたのだった。警察の記録によると、その後周辺が捜索されたが、柿本進一の行き先を示すようなものは何ら発見されなかった、となっている。そして実質上、これに関する捜査は一切行われていない。約二か月後に、二人の中学生が金属マスクを拾わなければ、さらにそのマスクから石膏のデスマスクを作ることを思いつかなければ、そして音楽教師がそのデスマスクを見て友人の兄の顔を思い浮かべなければ、これに関する捜査は今も停止したままだっただろう。

発見された黒のアウディからは、柿本進一のキャディバッグ、スポーツバッグ、ゴルフシューズケースが見つかっている。車内に争った跡はなく、血痕なども認められていない。また、盗まれたものもないようだというのが、その時の柿本昌代の証言である。ひょうたん池は、アウディが見つかった地点からは遠く離れている。死体発見が早まるのを防ぐのと、捜査を攪乱するのが目的で、犯人が車だけを全く別の場所に移動させたと考えられた。

「車は、車庫の中ですか」草薙は訊いた。一応、もう一度鑑識に調べてもらったほうがいいだろうかと思ったからだ。

だが昌代は申し訳なさそうな顔で首を振った。

「車は処分してしまったんです」

「えっ」

「誰に使われたのかわからなくて気味が悪いですし、あたしが運転できないものですから」そして、すみません、と小声でいった。

無理もないかもしれないと草薙は思った。車を残しておくと、それを見るたびに不吉な想像をし、嫌な気分になるに違いなかった。

「奥さん、これはもう何度も訊かれてうんざりされていることかもしれませんが、ご主人に対して何か恨みを持っている人間、ご主人が亡くなれば利益を得る、あるいはご主人が生きていることで損失を被《こうむ》るという人間に、心当たりはありませんか」草薙は、あまり期待せずに尋ねた。

柿本昌代は両手を膝に置いた姿勢で、ほっとため息をついた。

「本当に何度もお訊きになりますね。でも、そういう心当たりなんて全然ないんです。あたしの口からいうのも変ですけど、主人は気が弱くてお人好しで、何か頼まれたりすると、決して嫌だとはいえない性格でした。馬を買うというような話をもちかけられて、断りきれなかったりして」

するとここで、今まで黙っていた小塚刑事が顔を上げた。

「馬？　競走馬ですか」若い刑事は、勢いこんで訊いた。彼が競馬ファンだということを、草薙は思い出した。

「そうです。主人は特に競馬好きというわけでもなかったんですけど、お友達から熱心に勧められて、共同購入の話に乗ったようでした」

「かなり出資されたんでしょうか」と草薙は訊いた。

「さあ」昌代は首を傾げた。真珠のピアスが揺れた。「あたしは詳しいことは聞いておりません。たぶん一千万円ぐらいじゃないかと思うんですけど。そんなことを電話で話していたように思いますから」

「それはいつ頃の話ですか。今年になってからの話ですか」

「そうです。ええと、春頃にそんな話をしていたんじゃなかったかしら」昌代は頰に手をあてた。

「そのご友人の名前はわかりますか。共同購入の話を持ってきた人です」

「わかりますよ。笹岡という人です。主人の患者さんだったはずです。なんだか怪しげな人で、あたしは好きではなかったんですけれど、主人とは気が合っていたようでした」こういった時、彼女はかすかに顔をしかめた。その男に対して、何か嫌な印象を持った経験があるのかもしれなかった。

「連絡先を教えていただけますか」

「ええ。少しお待ちください」

昌代は席を立ち、部屋を出ていった。

「すごいですね。競走馬を持つなんて」小塚刑事が小声でいった。「やっぱり歯医者ってのは、儲かるんだなあ」そして治療の様子でも連想したか、右の頰をこすった。

草薙は答えず、これまでにメモした内容を眺め直した。その競走馬はどこにいるんだろう、と思った。

5

コットンパンツのポケットに両手を突っ込み、湯川は立ち尽くしていた。眼鏡の下の目は不快そうに曇っていた。

「ひどいな、これは」吐き捨てるように彼はいった。「改めて、モラルの低下を実感するね。腹が立つというより、悲しいな。ここまで来ると」

草薙も湯川の横に立ち、ひょうたん池を眺めた。死体を引き上げた時と同じく、様々な廃材や粗大ゴミが放置されていた。彼等の足元に転がっている自動車のバッテリーは、先日はなかったものだ。

「こんなことをするのは日本人ぐらいのものだろうな。全く恥ずかしいぜ」と草薙はいった。

「いや、これは日本人の特徴とばかりはいえないな」

「そうかい」

「インドには、原子力発電所から出る放射性廃棄物を不法投棄している川というのがある。旧ソ連は同じものを日本海に捨てていた。科学文明がいくら発達しても、それを使う人間の心が進化していないと、こういうことになる」

「使う人間だけの問題かい？　その科学を生み出してきた学者たちの心はどうなんだい？」

「学者たちは純粋なだけさ。純粋でなければ、劇的なインスピレーションは訪れない」

湯川は素気なくいうと、池に向かって歩きだした。

「勝手なことを」草薙は、ふんと鼻で笑ってから学者のあとを追った。

池の縁に立ち、湯川は水面を見渡した。

「死体が沈んでいたのは、どのあたりだ」

「あのへんさ」池の最もくびれたあたりを草薙は指した。「行ってみよう」

死体が引き上げられた場所には、わけのわからない粗大ゴミや金属材料などが、特にたくさん放置されていた。死体を上げる時に、一緒に池の底から引っ張ってきたものだ。どれにも一様に灰色の土がこびりついている。引き上げられた時に付着していた泥が乾いたのだ。

足元を眺めていた湯川の目が、ある一点で止まった。彼はしゃがみ、何か拾い上げた。

「早速何か見つけたか」草薙は訊いてみた。

湯川が手にしているのは、三十センチ四方ほどの金属片だった。草薙はそれを見るのは初めてではなかった。前回ここへ来た時にも、何枚か発見したのだ。

「どこかの業者が捨てていった、何かの廃材らしい。現在業者を探している最中だ」

「あのマスクの材料らしいな」

「鑑識もそういっていた。材質も同じだ。間違いないだろう」

湯川は周辺を見回し、さらに二枚のアルミ材を拾った。それから近くの草むらに目を向けると、また何か拾い上げた。それは黒い被膜に覆われた電気コードだった。

「そのコードがどうかしたかい」草薙は横から声をかけた。

湯川は答えず、コードの先端を見つめていた。被膜から出た導線の先は、いったん溶けて固まったように丸くなっている。

彼はコードの反対側を手繰《たぐ》り始めた。それは池から数メートル離れたところに落ちていた、長さ一メートルほどの錆びた細い軽量鉄骨に絡まっていた。

「それと同じコードが、死体と一緒に引き上げられたんじゃなかったかな」

草薙がいうと、湯川は眼鏡がずれるほどの勢いで振り向いた。

「それはどこに捨てた？」

「いや、捨ててはいないはずだ。死体と接触していた可能性もあるということで、鑑識のほうで保管しているんじゃないかな」

「それ、見せてもらえるかな」

「ああ、いいだろう。頼んでみよう」

草薙の答えに、湯川は満足そうに頷いた。

「それから、ひとつ調べてほしいことがある」

「なんだ」

「気象庁に問い合わせて、この夏、雷の発生した日時をすべて調べてくれ」

「雷？」

「特に、このあたりで落雷のあった可能性のある日がわかれば最高だ」

「そりゃあ、調べればすぐにわかるだろうが、雷がどう関係してくるんだ」

だが湯川は再度池のほうに視線を走らせ、意味ありげに、にやりと笑っただけだった。

「なんだ、気味が悪いな。何かわかったのか」草薙は訊いた。

「まだ断定はできない。確認してから、はっきりしたことをいう」

「もったいつけるなよ。わかったことだけでいいから、今教えてくれないか」

「残念だが、科学者は実験をして確認しなければ、自分の説を迂闊《うかつ》には口に出したくないものなのさ」湯川は三枚のアルミ材と汚れた電気コードを草薙のほうに押しつけた。

「さあ、帰ろうか」

6

新宿にあるビルの中の一室で、草薙は小塚刑事と共に笹岡寛久と会った。『S&Rコーポレーション』という名前の、胡散臭《うさん》い事務所だった。

「主に企業相手にパソコンを卸《おろ》す仕事をしているんですよ。ソフト開発の会社との仲介なんかもさせていただいております。ようやく軌道に乗り始めたところでしてね」仕事の内容を尋ねると、笹岡はこんなふうに説明した。

年齢は四十代前半といったところか。よくしゃべる男だった。仕事について一つ尋ねると、十の答えが返ってくる。だがよく聞いてみると、それらの話のどれにも、とりたてて勉強になるほどの内容が含まれていないという底の浅さが感じられた。事務所の奥は衝立《ついたて》で仕切られていて見えず、事務員がいる気配もない。そして、「どうですか、刑事さんもパソコンを一台購入されては。これからはそういう知識も必要ですよ」という言い方には、露骨に草薙たちを馬鹿にした響きがあった。柿本昌代が、「怪しげな人」と表現したのも頷けた。

草薙はまず、柿本進一を知っているかどうかを尋ねた。途端に笹岡は嘆きの表情に変わった。

「知っているなんてものじゃありません。私の奥歯の半分は、あの先生に治してもらったんですから」笹岡は顎をこすった。「このたびは、本当にお気の毒なことでした。柿本先生が行方不明だということは、以前に奥さんから伺っていて、もしや何かの事件に巻き込まれたんじゃないかと心配していたんです。まあ二か月以上経ちますし、正直なところ、生きておられる可能性は低いような気はしていたんですがね。いやあ、それにしても、ひどい話だ。何ともいいようがない」

「葬儀にはお出になられましたか」と草薙は訊いた。

「いや、ちょっと仕事の都合がつきませんでね、弔電だけで失礼しました」

「柿本さんの遺体が見つかったことは、どなたからお聞きになりましたか」

「新聞で読んだんです。中学か高校の文化祭で、柿本さんの顔の模型が展示されていて、それがきっかけで見つかったとか。それでこちらから奥さんに連絡して、葬儀の場所などをお訊きしたんです」

「なるほど。かなり派手に扱っている新聞もありましたからね」

中学校で本物のデスマスク展示、奇怪な経緯に関係者ら首捻る、秋のミステリー――そんな見出しが並んでいたのを草薙は思い出した。

「全く不思議な話ですよねえ。どうしてあんなところに、顔の型なんかが落ちていたのか」笹岡は腕組みをし、首を捻った。それから窺《うかが》うような目で草薙を見た。「警察のほうじゃ、それについては何かわかったんですか」

「現在調査中です。鑑識の連中も頭を悩ませてましたね」

「そうでしょうな」

「迷信好きの上司なんかは、殺された死者の怨念が、そばにあったアルミ材に転写されたんだろうなんていってますがね」

嘘だった。実際には草薙の上司は、非科学的なことを嫌う合理主義者だ。

「まさか、そんなことはないでしょうが……」

笹岡は不自然な笑いを浮かべた。草薙の話に脅かされたと思えなくもない表情だった。

「それで」アルマーニの袖をまくり、腕時計を見るしぐさをしてから笹岡はいった。

「今日はどういう御用件でしょうか。私にわかることでしたら、どんなことでもお話しいたしますが」親切そうな口ぶりではあるが、自分は大したことは知らないと仄《ほの》めかしているようにも受け取れた。

「馬のことをお訊きしたいんですが」草薙はいった。「競走馬のことです。共同購入の話を柿本さんに持ちかけられましたね」

「ああ、あれですか」笹岡は神妙な顔で頷いた。「あれは残念なことでした。柿本さんにも、期待ばかりさせて、結果的に御迷惑をかけてしまいました」

「ということは、結局、馬は購入できなかったということですね」

「いい話があったんです。極めて血筋のいい子馬を紹介してもらえるという話でした。ところが、こっちがメンバー集めで手間取っているうちに、先を越されてしまいました。まあ、よくある話ではあるんですが」

「それはどこかのブローカーと話をされたわけですか」

「お手数ですが、その方の連絡先を教えていただけませんか。一応事務的な確認だけさせていただきますので」

「そうです」

「それは構いませんが、ええと名刺をどこへやったかな」笹岡は胸ポケットを探る格好をしてから、小さく舌打ちした。「しまった。自宅に置いてきちゃいました。後ほどお知らせするということでよろしいですか」

「結構です。では小塚君、後で君のほうから御連絡をさしあげて」

はい、と若い刑事は返事した。

「なんだか妙な具合ですね。私が疑われているようで」笹岡が愛想笑いしながらいった。

「申し訳ありません。不快に思われるお気持ちは十分に理解しております。しかしこちらとしても、柿本さんの銀行口座から大金が動いている、という事実を無視するわけにはいきませんので」

「大金？」

「ええ。一千万円は、我々サラリーマンにとっては大金です。その額の小切手を、お受け取りになられましたね」真っ直ぐに相手の目を見ながら草薙はいった。

笹岡は軽く咳払いした。

「ええ、まあ。馬の購入資金です」

「その小切手は現金化されているようですが、そのお金をその後どうされましたか」

「もちろんお返ししました。柿本先生に」

「どういう形で、ですか。銀行口座に振り込まれたのですか」

「いえ、現金でお返ししました。ご自宅まで私がお届けしたんです」

「それはいつ頃の話ですか」

「いつ頃でしたっけね。もうずいぶん前です。七月の末だったと思います」

「お金の授受の際、何か書類の交換のようなことは行われなかったのですか」

「小切手をお預かりする時、預かり証を書かせていただきました。ですから、お金をお返しした時には、それを返していただいたわけです」

「それを今、お持ちですか」

「いや、処分しました。あまり、いい思い出の品でもありませんので」

ここでまた笹岡は腕時計に目を落とした。今度のしぐさは、かなりわざとらしいものだった。そろそろ話を切り上げてもらいたがっているようだ。

「では、最後にもう一つだけ事務的なことを」事務的というところにアクセントを置いて草薙はいった。「八月十八日から十日間ほどの行動について、なるべく詳しく話していただけると助かるのですが」

笹岡の額が、一瞬にして赤くなった。それでも愛想笑いを消さずに、二人の刑事の顔を交互に眺めた。

「やっぱり私を疑っておられるようだ」

「申し訳ありません。でもあなただけじゃありません。刑事の前では、とりあえず全員が容疑者なんです」

「そのリストから、早く外してもらいたいものですな」笹岡は手元に置いていたシステム手帳を開いた。「八月十八日から、とおっしゃいましたね」

「ええ」

「よかった。アリバイがある」笹岡は手帳を見ていった。

「どういうアリバイですか」と草薙は訊いた。

「ちょうどその日から旅行に出ているんです。二週間ほど中国に。ほら、ここに書いてあるでしょう?」スケジュール表の頁を開いて見せた。

「旅行はお一人で?」

「まさか。取引先の方々と四人で行きました。その人たちに迷惑がかからないことを約束していただければ、連絡先をお教えしますが」

「もちろんお約束します」

「では、少々お待ちください」笹岡は立ち上がり、衝立の向こうに消えた。

草薙は隣の小塚刑事と顔を見合わせた。若い刑事は小さく首を傾げた。

笹岡はすぐに戻ってきた。手にA4ぐらいの大きさの名刺ホルダーを持っていた。

「出発は成田からですか」

笹岡が指で示した名刺の名前と連絡先を書き写しながら、草薙は訊いた。

「そうです」

「何時頃の出発でしたか」

「十時頃だったと思います。あ、でも、私は八時過ぎには空港に行きました。八時半に集合する手筈になっていましたから」

「なるほど」

草薙は頭の中で時間を計っていた。柿本進一は午前六時に自宅を出ている。その柿本を途中で殺害し、死体をひょうたん池に捨て、さらに黒のアウディを埼玉県内に放置した後、八時過ぎまでに成田に到着することは可能だろうか。

絶対に不可能だというのが、数秒後に彼が下した結論だった。

7

湯川がどこからか出してきた残りもののポップコーンを口に放り込み、草薙はスチール机を叩いた。

「どう考えても、あの男が怪しい。あいつ以外には考えられない」吐き捨てるようにいった後、インスタントコーヒーをがぶりと飲んだ。水道水の鉄臭さがたまらなかったが、そんなことに文句をつける気にもならなかった。

「しかし敵には鉄壁のアリバイがあるというわけだ」窓の横で、立ったままコーヒーを飲みながら湯川はいった。今日は珍しく窓が開放されている。風が入ってくる時、遮光カーテンや白衣の裾と共に、彼のやや茶色がかった髪も静かに揺れた。

「それが不自然だと思わないか。柿本進一が行方不明になったちょうどその日から、外国に旅行に行っていたというのがさ」

「それが偶然であるなら、その人物は極めて幸運であるというべきだろうな。もしそのアリバイがなければ、拷問に等しい取調べを、君によってされたはずだからね」

「今時、そんなことはしないさ」

「さあ、それはどうだか」湯川はマグカップを持ったまま、窓の外に身体を向けた。沈みかけた太陽の光が、彼の顔を照らしている。

　草薙はまたポップコーンを口に入れた。

　笹岡のアリバイを調べたところ、彼の言い分に殆ど間違いはなかった。一緒に旅行したという会社員は、八月十八日の午前八時半には、成田空港で笹岡と会ったと証言しているのだ。無論、旅行中に彼がこっそり帰国した形跡はない。

だが動機の面から考えると、笹岡ほど怪しい人間はいなかった。彼が連絡を取っていたという馬のブローカーは、購入について相談を持ちかけられたことはあったが、具体的な話をしたことはないといった。ましてや共同購入の話など初耳だという。

また笹岡の周辺を調べたところ、この夏あたりまで、いくつかの金融機関からの借金に苦しんでいたことが明らかになった。それが夏以降、きれいさっぱりと返済されているのだ。柿本進一から預かったという一千万円が、その一部に充てられたのではないかというのが草薙の推理だった。

しかし今のままでは笹岡に手は出せない。物理的に犯行が不可能なのではどうしようもないのだ。

「ところで例のことは調べてくれたのか」湯川は再び室内のほうを向いた。「雷のことだ」

「ああ、そうだった。もちろん調べたさ」草薙は上着の内ポケットから手帳を取り出した。「だけど、一体どういう関係があるんだ。今度のことと雷と」

「まあいいから、調べたことを話してみろよ」

「なんか、目的もわからず調べるのってのは、抵抗があるんだよな」草薙は手帳を開いた。「ええと、まず六月からいうと」

「八月からでいい」湯川は素気なくいった。

草薙は、逆光のせいで表情がよくわからない友人の顔を睨みつけた。

「この夏の、といったから、六月以降を調べたんじゃないか」

「そうか、でも八月からでいい」湯川は友人の苛立ちなど意に介さないらしく、全く無表情でマグカップを口元に運んだ。

草薙は吐息をついてから手帳に目を戻した。

「八月中で雷が発生したのは、関東地区全体では」

「東京だけでいい。それも、ひょうたん池のある西東京だ」

草薙は手帳で机を叩いた。

「なぜ最初からそういわないんだ。それなら、もっと簡単に調べられたのに」

「すまん」と湯川はいった。「続けてくれ」

本当に悪いと思っているのかと、ぶつぶつぼやきながら草薙は再度手帳を開いた。

「ひょうたん池付近で落雷が発生したのは、八月では十二日と十七日の二日だけだ。九月では、十六日と――」

「ちょっとストップ」

「今度はなんだ」

「十七日といったようだが、たしかだな。八月十七日に間違いないな」

「ああ、間違いない」手帳のメモを何度も見てから草薙はいった。「それがどうかしたのか?」

「そうか。十七日か。八月の十七日。そして次に落雷が発生したのは九月十六日」

湯川はマグカップをそばの机に置くと、白衣のポケットに左手を突っ込み、ゆっくりと歩きだした。右手は頭の後ろを掻いている。

「おい、何なんだ。もう聞かなくていいのか」草薙は、部屋の中をうろつき回っている友人に訊いた。

突然湯川は足を止めた。同時に頭を掻いていた手も止めた。空間の一点を見つめ、人形のように動かない。

やがて、彼は低く笑いだした。それがあまりに唐突だったので、草薙は一瞬、彼が奇妙な痙攣《けいれん》を起こしたのかと思った。

「その人物が旅行に出ていたのは何日間だ?」湯川は訊いた。

「えっ?」

「君が怪しいと睨んでいる人物さ。中国に行っていたのは何日間だ」

「ああ……二週間だが」

「二週間。つまり日本に帰ってきたのは九月はじめというわけか」

「そうだが」

「日本に帰ってから犯行に及んだということは考えられないのか。そうすれば、君を悩ませているアリバイの壁も消失するじゃないか」

「それは俺だって考えたさ。でもだめなんだ」

「死後経過時間からか」

「まあな。専門家の話では、腐敗の状態などから見て、遅くとも八月二十五日前後には殺されていたはずだというんだ。九月以降というのは、まず考えられないらしい」

「そうか」湯川は近くの椅子に腰を下ろした。「九月以降に殺されたということは、ありえないわけか。なるほどな」肩を細かく揺すらせて笑った。「そうだろうな。そうでなくてはならないんだ」

「どういう意味だ」

草薙が訊くと湯川は足を組み、さらにその膝の上で両手の指を交わらせた。

「草薙刑事。どうやら君は、大きな間違いをしでかしているようだ。いや、間違いといっては気の毒かな。犯人の仕掛けた罠に引っかかっているわけだから」

「なんだと？」

「君にいいことを教えてやろう」湯川は眼鏡の位置を指先で直してからいった。「殺人が行われたのは八月十七日以前だ」

「えっ」

「間違いない。つまり、八月十八日に被害者が生きていたという証言は、嘘ということになる」

8

柿本昌代が笹岡寛久との共犯関係を認めたのは、金属製のマスクが二人の中学生によって発見されてから、ちょうど三週間が経った日曜日だった。すでに笹岡のほうが逮捕されていたことで、ある程度は覚悟を決めていたらしく、ガレージのシャッターから笹岡の指紋が検出されたことを知らせると、簡単に真実を吐露し始めたのだ。

「殺そうという話を持ちかけてきたのは、あの人のほうなんです。あたしはあんなことはしたくなかったんですけど、いうことをきかないと、主人にあのことをばらすといわれて、仕方なくいうとおりにしたんです」

昌代は唾を飛ばさんばかりにして訴えた。ここで彼女が「あのこと」といったのは、スポーツクラブのインストラクターとの不倫のことだった。笹岡がそのことを嗅ぎつけ、彼女を脅迫したというのだ。

だが笹岡の言い分は違っていた。

「私がそそのかしたって？　とんでもない。浮気のことが旦那にばれて、離婚されそうなので、なんとかできないかと相談してきたのは、向こうのほうです。なんとかしてくれれば、私の借金をなんとかしてやるといってきたんです。ええ、あの馬の代金も、返さなくていいという話でした。いや、私は本当に馬を買うつもりでお金を預かったんです。騙す気なんて、これっぽっちもありませんでした。全く、あの女はひどい人間です。私も、いいように利用されてしまいました」

どちらの話が正しいのか、取調べに当たった刑事たちにも、すぐには断定できなかった。おそらくどちらも半分は正しく、半分は嘘なのだろうと草薙などは思った。なぜなら二人の犯行を見直した場合、双方共かなり積極的に行動したと考えられるからだ。

二人の供述によると、実際の犯行日は八月十六日の深夜だった。柿本進一が風呂に入っているところを、昌代の手引きで侵入した笹岡が、鉄製ハンマーによって撲殺したのだ。

死体の処理は翌日の早朝に行われた。笹岡が柿本家のアウディを使って、死体をひょうたん池まで運び、投棄したのだ。またその帰りに、アウディを埼玉県内に放置した。

問題はその翌日である。二人は、この日の朝まで柿本進一が生きていたという状況を作って、アリバイを完璧にしておきたかった。そこで同じ型のアウディを用意し、その車が柿本家のガレージから出るところを近所の人間に見せることにしたのだ。

だがじつは、この小細工が彼等の命取りになった。

犯行は十七日以前だと推理した草薙は、この時笹岡がどこからアウディを調達したかを考えたのだ。そして捜査の結果、彼の競馬仲間の一人に、同じ型の車を持っている人間が見つかったのだ。その人物は犯行とは無関係らしく、八月十八日に車を貸したことを素直に認めた。

わかってみれば簡単なトリックだった。だが最初に笹岡を疑うきっかけを作ったのが柿本昌代であったため、二人が共犯だという発想が出てこなかったのだ。いずれは捜査陣が笹岡に目をつけることを見越し、それを逆手にとろうとした二人の術中に、見事に陥ってしまったわけだ。

「一体、どうして犯行が十七日以前かもしれないと思ったんだ」草薙の上司は、何度も訊いた。

そのたびに草薙は頭を指差して答えた。

「ま、ここの違いですよ」

9

草薙が案内された建物のドアには、『高電圧研究室』と書かれていた。さらに黄色の文字で、『危険　関係者以外絶対立入禁止』とある。それだけで彼は気後れしたのだが、中に入ってみて、さらに足がすくんでしまった。

テレビか写真でしか見たことのないような巨大な碍子《がいし》が立ち並んでいる様子は、まるで発電所の一部をこの部屋に移したようだ。そして蛇の大群のように、無数のケーブルが床を走っている。

「なんか、こういうところに来ると、迂闊にものに触れないって気がするな」前をすたすた歩く湯川の背中に、草薙は話しかけた。「俺、電気ってのがどうも苦手だからな。すぐに感電しちゃうような気がするんだよ。実際には、そういうことはないんだろうけどさ」

するとが湯川は足を止め、くるりと振り返った。

「いや、そういうことはあるよ」

「えっ」

「たとえばほら、君の横にある小さな箱だ。何だと思う？」

湯川にいわれ、右横を見た。大型のストーブほどの大きさの金属製の箱が置いてある。上に二つの突起があるだけで、何かの機械には見えなかった。

「わからんな。さっぱりわからん。何なんだ」

「コンデンサさ」と湯川はいった。「蓄電器ともいう。名前ぐらいは知ってるだろ」

「ああ、コンデンサね。理科の授業で習った覚えがある」答えながら、なぜ俺は愛想笑いをしているんだろうと草薙は思った。

「ちょっと触ってみるといい。その突起のあたりをさ」

「平気かい？」草薙は、おそるおそる手を出した。

「平気かもしれんが」湯川は淡々とした口調で続けた。「感電のショックで身体が吹っ飛ぶかもしれない」

草薙はあわてて手を引っ込めた。「冗談だろ？」

「原則として、ここにあるコンデンサはすべて放電しきった状態にしてある。だけど長時間放置しておくと、静電作用で徐々に帯電していくものなんだ。そのクラスのコンデンサが完全に充電されていたら、君の身体などはひとたまりもないだろうね」

草薙は飛び退いて、湯川に駆け寄った。

「なんだよ。だったら、触れなんていうなよ」

「心配するな。よく見てみろ。コンデンサの二つの突起が、ケーブルで繋がれているだろ。ああしておけば、電気がたまることはない」ふふんと鼻で笑って、湯川は再び歩きだした。

乱雑に散らかった実験室の中央に、四角い水槽が置いてあった。家庭の浴槽程度の大きさだ。透明アクリルで作られているので、水の入っている様子がよくわかる。そして水の中には、いろいろなものが沈められているようだ。そこからは電気コードも出ている。

湯川はその横に立ち、中を覗いた。

「ちょっとこっちへ来てくれ」

「また脅かすんじゃないだろうな」

「驚くかもしれんが、君の仕事のためには仕方のないことさ」

湯川に促され、草薙は中を覗き込んだ。思わず、「おっ」と声が出た。

まず目を引いたのは、水の中に沈んでいるマネキンの首だった。女性らしいが、カツラはつけられていない。その顔から数センチ離れたところに、例の薄いアルミ材がセットされていた。そしてそこからさらに数センチの距離をおいて、今度は電気コードが固定されている。コードはそのあたりだけ被膜が剝《む》かれ、中の導線も、ほつれて切れかけたようになっていた。

「ひょうたん池での状態を再現してみた」と湯川はいった。

「こんなふうになってたというのか」

「おそらく」

「これでどうやって、例の金属マスクができるんだ」

「それをこれから見せてやるんだよ」

湯川は水槽から出ている電気コードを辿《たど》って移動した。その先端は、明らかに手製と思われる装置に接続されていた。その装置の一部には、先程草薙が脅かされたコンデンサなるものも使われている。ただしこちらのコンデンサのほうが、かなり大きかった。

「簡単な、雷発生装置だ」と湯川は説明した。

「雷？」

「あそこに、向き合った電極があるだろう」三メートルほど離れた先を彼は指差した。

そこには、銅の丸い電極を数十センチ離して固定した装置が置いてある。よく見ると電極の一方は、水槽から出ている電気コードに繋がっているようだ。

「あそこで小さな雷を発生させるわけだ」

「そうすると、どうなるんだ」

「ひょうたん池で電気コードを拾っただろう？」

「ああ」

「あのコードは池の縁に落ちていた鉄骨材に絡まっていた。覚えてるか？」

「そうだったな」

「君が調べてくれたように、八月十七日、あのあたりを激しい雷雨が襲った。それだけでなく、大きな雷が一つ、池のそばに落ちたんだ」

「あの鉄骨に？」

「そう」湯川は頷いた。「避雷針の役割を果たしたわけだ。君も知っているように、雷の正体は電気だ。雷雲の中でたくわえられた電気エネルギーが、鉄骨に向かって一気に放出されたと考えてくれ」

草薙は頷いた。その様子を想像することは、科学オンチの彼でも難しいことではなかった。

「さて鉄骨に投入された電気エネルギーは、その後どうなるか。ふつうなら地面に吸い込まれるところだ。事実、一部はそうなっただろう。だが鉄骨には、もっと電気を通しやすい電気コードが絡まっていた。大部分の電気は、コードを通って、池の中へと放出されることになったはずだ」そういいながら湯川は、アクリルの水槽を指差した。

「それで？」と草薙は先を促した。ここまでの説明も、彼に理解できるものだった。

「しかし」と湯川はいった。「もしその電気コードが、それだけの電気エネルギーを通せるほど太くなかったとしたら、どうだろう。あるいは、一部細くなっていて、切れそうになっていたとしたら」

この問いに対して、二秒ほど考えてから草薙は首を振った。

「わからん。どうなるんだ」

「それをこれから実験する」そういうと湯川は白衣のポケットから、眼鏡を一つ取り出し、草薙のほうに差し出した。

「なんだい、これ」

「安全眼鏡だ。度は入っていない。万一のことがあっては大変だから、かけてくれ」

「万一のこと？」

「何かの破片が飛び散るおそれがある」

湯川にいわれ、草薙はあわててその眼鏡をかけた。

「では始める」湯川は、そばの機械のダイヤルを、ゆっくりと右に回し始めた。「現在、コンデンサに電気をたくわえているところだ。いわば、雷雲を作っているところだと考えてくれればいい」

「雷が、間違って俺たちのところに落ちる、なんてことにはならないだろうな」草薙は訊いた。無論冗談のつもりだった。

「それはない」

「そうか」

「配線が間違ってなければな」

えっ、といって草薙は湯川の真面目くさった横顔を見た。

「コンデンサへの充電が完了しつつある」と湯川は電極のほうを見ていった。「二つの電極の間には、何万ボルトという電位差が生じている。二極間を遮っているのは、空間という名の壁だ。だがその壁を破るほど、電位差が大きくなったら……」

彼がそこまでいった時だった。激しい衝撃音と共に、二つの電極間に閃光が走るのを草薙は見た。そしてそれとほぼ同時に、水槽の中で低い破裂音がした。

「なんだっ」

草薙が水槽のほうへ駆け寄ろうとするのを、湯川が腕を摑んで止めた。

「最後の詰めで感電死するのは馬鹿馬鹿しいだろ」湯川はいくつかの操作をしてから、草薙の背中を叩いた。「よし、見に行ってみよう」

二人は水槽に駆け寄った。中を覗き込んだ草薙は、あっと声を上げた。

「満足してもらえたようだな」

湯川は水槽の中に両手を突っ込むと、マネキンの首を引き上げた。その顔には、薄いアルミ材が、ぴったりとくっついていた。彼はそれを慎重な手つきで引きはがした。そして、「注文の品だ」といって、草薙のほうに差し出した。

草薙はそれを受け取り、しげしげと眺めた。見事にマネキンの顔の凹凸を転写した型になっていた。

「どういうからくりだ……」

「衝撃波さ」

「何？」

「あまりにも大きな電気エネルギーが投入されたため、電気コードが途中で溶断してしまったんだ。しかも瞬間的にね。ヒューズが切れるようなものだ」

湯川は水槽の中から電気コードを引き上げた。その先端は溶けて丸くなっていた。ひようたん池で拾ったコードと同じだと草薙は思った。

「その際、水の中に強烈な衝撃波が発生する。そばにあるものを、外側に押しやろうとする力が働く。当然のことながら、アルミ材はマネキンの顔のほうに押しつけられる」

「その結果、これができたわけか」金属マスクを眺めて草薙は呟いた。

「昔からよく知られた技術ではあるんだが、今はこれを使って何かを作るなんてことは、殆どないんじゃないかな。僕も実験したのは今回が初めてだ。いい勉強になった」

「不思議なこともあるものだなあ……」

「少しも不思議じゃない。当然の結果さ。前に君にもいったはずだ。世間で騒がれる不思議な現象のいくつかは流体の悪戯だとね。今回も、その一つさ」

「いや、俺が不思議だといったのは、そういう意味じゃない」草薙は顔を上げた。「例のマスクが見つからなければ、死体は発見されなかった。さらに、雷から事件発生の日を推定することもできなかった。そう思うと、柿本進一の無念さが、マスクになって現れたように思われるんだ。オカルト嫌いのおまえにいわせると、馬鹿げた話だということになるんだろうが」

どうせ湯川は嘲笑するだろうと草薙は思った。だが彼はそうしなかった。代わりに白衣のポケットから、折り畳まれた一枚の紙を取り出した。何かをコピーしたもののようだ。

「はじめて金属マスクの話を聞いた時、僕がライフルのことを尋ねたのを覚えてるかい？　ひょうたん池の近くで、ライフルによる猟が行われているか、という質問だった」

「ああ、覚えている。なんで、あんなことを訊いたんだ」

「じつをいうと、あの時すでに水の衝撃波でマスクが出来たんじゃないかという考えは持っていたんだ。だがその衝撃波が発生した原因がわからなかった。それでまず、ライフルじゃないかと疑ったわけだ」

「ライフルでそんなことができるのか」

「水の中で銃弾を発射した場合、同じように衝撃波が発生する。ただし金属成形を行うとなれば、ピストル程度ではだめだ。最低でもライフルぐらいのパワーがいる」

「ふうん」イメージがわかず、草薙は曖昧に頷いた。「で、それが今の話と、どう関係してくるんだ？」

「この、ライフルによる衝撃波を使って、歯にかぶせる金冠を作る技術がある。ある大学で研究されたものだ」湯川は手に持っていた紙を草薙のほうに差し出した。「これはその論文のコピーだ。ちょっと見てみろよ」

「俺が見たって――」

「まあいいから」湯川は紙を持った腕を伸ばした。

草薙はそのコピーに視線を走らせた。予想通り、理解できそうなものではなかった。

「これがどうしたっていうんだ」

「発表者の名前を見てみろよ」

「発表者？」

草薙は鸚鵡《おうむ》返しにいってから、論文のタイトルの横を見た。そこには三人の名前が並んでいた。三番目の名前を見て、あっと叫んだ。

柿本進一と書いてあったからだ。

「学生時代、被害者は衝撃波による成形の研究をしていたようだな」湯川は面白そうにいった。「死体になって池に捨てられた後、彼の魂が、昔自分たちが研究していた技術を思い出し、例の金属マスクを作った、というストーリーはどうだい？」

草薙は一瞬ぞくりとした。だが次にはにやりと笑い、物理学者を見返した。

「科学者はオカルトなんか信じないんじゃないのか」

「科学者だって、冗談をいう時はあるんだよ」

そして湯川は白衣の裾をひるがえし、出口に向かった。

第三章　壊死《くさ》る

1

男は余韻を楽しむように、いつまでも聡美の太股を撫でていた。彼女は彼の手をさりげなく振りほどくと、椅子にかけてあったバスタオルを身体に巻き付け、鏡の前に座った。バッグから取り出したブラシでブロウすると、もつれた髪の切れる音がした。

男は太った身体を捻ってテーブルから煙草を取ると、一本くわえた後、使い捨てライターで火をつけた。身の周りの品に驚くほど金をかけない吝嗇家《りんしょくか》であることを、聡美は付き合い始めてすぐに知った。

「例の話、考えてくれたかい」二つ重ねにした枕にもたれ、男は訊いた。

「何だっけ」髪をとかしながら彼女はいった。

「忘れたのかい。同居の件だ」

「ああ」

もちろん忘れたのではなかった。避けたい話題だったのだ。

「でもそんなことしたら、子供さんが黙ってないんじゃないの」

「それは大丈夫だ。もう連中も大人だし、最近はめったに家に寄りつかなくなってる。女房が死んでから、ますますそうなった。俺が何をしようと、文句をいったりせんさ」

「ふうん」

「なあ、聡美」男は煙草を灰皿に置くと、ベッドの上を四つん這いで移動した。そして聡美の背後から抱きついた。「一緒に住んでくれよ。俺、もうおまえと一時だって離れていたくないんだ」

「そういってくれるのはうれしいけど……」

「だったらいいじゃないか。何でも好きなものを買ってやるぞ。それに、そうだ、例の借金のことだってチャラにしてやる。こんないい話、ほかにあると思うか？」

「うーん、考えとく」

「何を考える必要があるんだ。あっ、それとも、まさかおまえ」男は聡美の両肩をぎゅっと摑んだ。「ほかに男ができたんじゃないだろうな」

「できてないよ」聡美は鏡に映った男の顔に笑いかけた。

「本当だな。もし男ができて、俺と別れたいというなら」

「金を返してからにしろ――わかってる。あなたには恩を感じてるから、裏切ったりしないよ」

「頼むから、そうしてくれよ。俺は怒ると何をするかわからん男だからな」そういって彼は彼女の首を絞めるふりをした。

内藤聡美は杉並に部屋を借りていた。密集した住宅地の中に建つ、二階建てのアパートだった。二階の一番端で、間取りは1LDKだ。

階段を上がろうとした時、自転車置き場の陰から人が現れた。

「聡美ちゃん……」

名前を呼ばれ、ぎくりとした。目を凝《こ》らして、闇の中に立っているのが田上昇一であることを確認した。

「びっくりした。あんた、どうしてこんなところにいるのよ」

「聡美ちゃんを待ってたんだ」

田上の、相変わらず陰気な口調に、聡美はちょっといらいらした。

「勝手に待たないでよ。用があるなら、会社でいえばいいでしょ」

「だから」と田上は恨みがましい目をした。

「今日、会社が終わったら、売店の前に来てくれっていったじゃないか」

「あっ」聡美は口を押さえた。「そうだっけ」

「もうかなり遅いね」

「ごめん。忘れてた」

「もういいけど……これから付き合ってくれないか。お茶でも」

「これから？　明日じゃだめ？　疲れてるんだけど」

「ちょっとでいいんだ」

田上の訴えるような目が、聡美としては鬱陶《うっとう》しかった。しかし待ちぼうけをくわせたという負い目がある。そしてそれ以上に、彼からも金を借りていることが頭にあった。

「本当にちょっとだけだよ」と彼女はいった。

二人は駅前の喫茶店に入った。田上はコーヒーを、聡美はバドワイザーとフライドポテトを注文した。

「早くしてね、ほんとに疲れてるんだ」ぶっきらぼうにそういって彼女はポテトをかじり、ビールで流し込んだ。

田上はコーヒーを啜《すす》った。それから背筋を伸ばした。

「これを受け取ってほしい」

彼がテーブルの上に出したのは、小さな箱だった。

「何、これ」

「いいから開けてみて」

面倒くさい話になりそうだと思いながら聡美は箱を手に取り、包みを開いた。小さなケースの中に入っていたのは、銀色の指輪だった。

「僕が作ったんだ。班長の目を盗んでさ」田上はうれしそうにいった。

「ふうん、器用なんだね」

指輪には小さな花や葉っぱの飾りがついていた。少女趣味の野暮ったいデザインだと聡美は思った。

「僕の気持ちは、わかってくれてるだろ」田上はいった。「一緒に、新潟に帰ってほしい。一生のお願いだから」

聡美は上目遣いに彼の顔を見た。そしてバッグを開けると、マルボロライトを取り出した。この台詞はこれまでにも聞いたことがあったから、彼女はあまり驚いてはいなかった。

「新潟に帰ってどうするの」

「だから、その……所帯を持つんだよ。親父もそろそろ家を継いでくれっていうし」

所帯という古めかしい言い方が、何となく彼に合っていたので、聡美はおかしかった。彼はまだ二十五になったばかりのはずだ。

「その話は、もう何度も断ったはずだよ。あたしはまだ誰とも結婚する気なんかないんだ」

「そんなことといわずに、真剣に考えてくれよ。僕、絶対に聡美ちゃんを幸せにするから。聡美ちゃんのためなら、何だってするから」田上は祈るように胸の前で指を組んだ。

どうしてあたしの周りの男はこうなんだと、聡美はうんざりした気分になった。この田上にしても、たった一回肉体関係があるだけなのに、自分の女だと思い込んでいる。

しかしこの男はまだ簡単に切り捨てられる。厄介なのは、あっちのほうだ、なんとかしなければ――つい先程まで会っていた男の顔を彼女は思い浮かべた。

「それとも、何かほかに理由があるのかい」田上がいった。

「ほかに理由って?」聡美は顔を横に向け、煙を吐いた。

「結婚できない理由、だよ」

「そんなのは……」ない、といいかけて、彼女は口を閉じた。煙草の灰を灰皿に落とした。「そうだな、ないこともないな」

「どんなことだい? 僕にできることなら、何だっていってくれよ」田上は身を乗り出した。

真剣な顔つきの田上を見るうち、聡美は彼をからかいたい気分になった。それでこういった。

「じゃあ、人を殺してくれる?」

「えっ……」

「つきまとわれてる男がいるの。別れるには、お金が必要なのよ。到底あたしには払えないお金。その男との関係を清算しないことには、結婚のことなんて考えられない」

「そんな……」案の定、田上の顔から血の気が引いた。

聡美は吹き出した。

「冗談だよ。冗談に決まってるじゃない。そんなことで、人を殺すことなんて考えないよ」

田上の硬い表情が少しほぐれた。

「本当に冗談なんだね」

「そうだよ。あたしだって、そこまで馬鹿じゃないよ」聡美は煙草を灰皿の中でもみ消した。

聡美がアパートに帰ったのは午前一時過ぎだった。

田上と別れた後、何となく気分がむしゃくしゃするので、一人で飲みに行ったのだ。彼女がカウンターにいると、次つぎに男が声をかけてきたが、どの男も身なりからして貧乏臭かった。

彼女はベッドに倒れ込んだ。すぐ横のブティックハンガーには、ブランドものの洋服がびっしりかけられている。現在の状況を作り出した元凶だ。

その時電話が鳴った。こんな時間に誰だろうと思いながら、受話器を取った。

「もしもし、僕だけど」聞こえてきたのは田上の声だった。

「ああ……まだ何かあるの」

「うん、あの……」田上は口ごもった。

「何？　もう眠いから、用があるなら早くいってよ」

「あ、ごめん。ええと……さっきのことだけど、本当に冗談なの？」

「えっ？」

「あれからいろいろと考えて、もしかしたら聡美ちゃんは本当に困ってて、その男を殺したいんじゃないかって気がしたんだけど……」

「……だったらどうなの？」

「もし、そうなんだったら、いい方法があると思ってさ」

「いい方法？」

「うん。絶対に病死にしか見えないし、他殺だとわかったとしても、その方法は警察には見当がつかないと思う」

「へえ」

「だから、もし、聡美ちゃんが本気だったら、協力してあげてもいいと――」

「おやすみなさい。ふざけないで」彼女は電話を切った。

2

高崎紀之は、ほぼ五か月ぶりに、江東区にある自宅に立ち寄った。彼の母親が死んで以来、初めてということになる。法事などで呼ばれても、大学が忙しいからの一言で済ませてきたのだ。そういえば、高校しか出ていない彼の父親は、あまり文句をいわなかった。

紀之は、父の邦夫を憎悪していた。一円の出費についても、妻や子供たちには口うるさくいうくせに、浮気の金は惜しまなかった。そしてそのことを責められると、決まってこういうのだ。

「うるさい、誰が稼いだ金だと思ってるんだ」

邦夫は自分一人で、小さいながらもスーパーマーケットを経営できるようになったことを、人生最大の誇りにしていたのだ。

母が早死にしたのも、亭主があんな男だったからだ、と紀之は考えている。そして邦夫は妻の死を、余計な人件費のカットぐらいにしか捉えていないに違いなかった。

紀之は現在、吉祥寺にある大学に籍を置いている。自宅から簡単に通える距離だが、学生マンションで一人住まいをしているのも、父親と毎日顔を合わせる苦痛から逃れるためだった。ただし邦夫が毎月送ってくれる金額では、マンション代を払ったら殆ど残らない。おかげで彼は今日までの二年あまりの大半を、バイトに費やしていた。

そんな吝嗇家の父親だったから、紀之が今日帰ってきたのも、金が目当てではなかった。彼の目的の品は、自分の部屋に置いてある、いくつかのパソコンソフトだった。

門をくぐった時、腕時計を見た。午後二時過ぎだった。平日のこんな時間に父親が家にいるはずはなかった。

だが玄関のドアの鍵を捻ろうとして、彼は首を傾げた。鍵が動かないのだ。試しにそのままノブを引いてみると、ドアは何の抵抗もなく開いた。彼は舌打ちをした。なんだ、親父、帰ってやがるのか――。

出直すのも面倒なので、そのまま足を踏み入れた。そして耳を澄ませてみる。父親がどの部屋にいるのかを推測するためだ。だが何の物音も聞こえてはこなかった。

紀之は階段を上がり、二階にある自分の部屋に入ると、必要なものを手近な紙袋に詰めた。うまくすれば親父と顔を合わせなくても済むかもしれないぞ、と思った。

荷物を持ち、そっと階段を下りた。やはり人の気配がしない。

廊下を通る時、半開きになっていた洗面所のドアの向こうを、ちらりと覗いてみた。そこは浴室の脱衣室も兼ねている。洗濯機の上に置いた籠に、邦夫のものと思われる衣服が放り込まれてあった。

紀之は口元を歪めた。昼間から風呂とはいいご身分だな——。

声をかける気などなかった。このまま退散しようと、忍び足で玄関に向かった。

その時、電話が鳴りだした。

紀之は急いで靴を履《は》こうとした。入浴中に電話がかかってきた時のためにと、コードレス電話の子機が、洗面所の壁に設置されている。

ところがその子機が取り上げられなかった。電話はいつまでも鳴り続けている。

紀之は浴室のほうを振り返った。電話の音が聞こえないはずはない。ということは、浴室にも、そしてこの家の中にも邦夫はいないということなのか。

紀之は靴を脱ぎ、廊下を逆戻りした。電話からは留守番用のメッセージが聞こえてい る。それに続いて若い男の声。××不動産のモリモトですが、先日の件、お考えいただけたでしょうか、またご連絡いたします、そしてピーという電子音。

紀之は洗面所を覗いた。ここも浴室も明かりがついている。

籠の中に入っている衣服は、邦夫のものに違いなかった。趣味の悪いピンクのポロシャツに見覚えがあった。

ふと足元を見ると、手袋が一つ落ちていた。汚れた軍手だった。紀之は首を傾げた。父親が機械油に触れる仕事などしないことを彼は知っている。

彼は浴室のドアに手をかけた。そして押し開いた。

高崎邦夫は細長い浴槽の中にいた。両足を伸ばし、両手を身体の脇に置いていた。縁にもたせかけられた首は、不自然な形に曲がっていた。

紀之は急いでドアを閉め、コードレス電話機を取り上げた。心臓は激しく高鳴っている。しかしそれは恐怖やショックのせいではなかった。

こんな都合のいいことが現実に起きてくれていいのだろうか、という思いが、彼の胸中を占めていたのだ。

3

シューズの底が体育館の床をこする、きゅっきゅっという音が聞こえていた。時折ドンと低く鳴るのは、前に踏み込んだ時の音だ。いずれも草薙には懐かしいものだった。

試合はダブルスで行われていた。一方のチームに湯川学がいる。彼がこれからサーブをするところだった。

ネット上ぎりぎりのところを通過し、前のラインいっぱいに落ちるという得意のサーブが放たれた。相手がそれを大きくクリアしてくる。湯川のパートナーが後方からスマッシュを打つが決まらない。そのまましばらく見事なラリーが続き、チャンスボールが湯川の前に上がった。

鋭くラケットを振り抜いた、ように見えたにもかかわらず、シャトルはワンテンポずれたタイミングで、ひゅるひゅると敵チームの前に落ちた。相手は一歩も動けなかった。

審判がゲーム終了を告げた。両チームの選手は笑顔で握手を交わした。

湯川が引き上げてきたので、草薙は小さく手を上げた。

「さすがだな。まだ腕前は衰えてないようじゃないか」草薙はいった。「最後はスマッシュで決めると思ったけれど、カットとはな」

「スマッシュだよ。スマッシュを打ったんだ」

「えっ、でも」

「これさ」湯川は持っていたラケットを草薙に見せた。中央部のガットが一本切れていた。「ちょうどガットの切れたところに当たったらしい。あれがカットに見えたとは、かつての名プレーヤーも衰えたものだな」

草薙は顔をしかめ、そのままラケットを二、三度振ってみた。いい感触だった。

「たまにはバドミントンをしてみたらどうだ。警察の道場で、柔道や剣道ばかりしていてもつまらんだろう」湯川がタオルで身体を拭きながらいった。

「警察官の格闘技の訓練を、物理学助教授の息抜きと一緒にされちゃたまらないな。まあ、そのうちに相手をしてもらうよ。今の仕事が一段落してからだけど」

「その顔から察すると、また厄介な事件に引っかかったようだな」

「うん、まあ、厄介といえば厄介だな」

「それで僕のところに相談に来た、というわけかい」

「いや、今回はおまえにも無理だと思うよ。畑違いだからな」

「畑違い？」

「ああ、どちらかというと、医学の分野だと思う」そういってから、草薙は上着の内ポケットに手を入れ、ポラロイド写真を一枚取り出した。「今回のホトケさんだ」

湯川は、さほど不快そうな表情もせずに、死体の写真を見た。

「幸せな死というものがあるなら、風呂に入ったまま死ぬというのも、その一つかもしれないな。これが便所だと、それまでの人生全体にケチが付くような気がする」

「死体を見て、何か気づいたことはないか」

「そうだな。特に外傷はないようだが……この胸の痣《あざ》みたいなのは何だい」

「問題はそれさ」草薙は改めて自分でも写真を眺め直した。

写真には浴槽に浸《つ》かっている死体が写っていた。死人の名前は高崎邦夫。江東区に住む、スーパーマーケットの経営者だ。

死体を発見したのは息子だが、彼はすぐには警察に連絡しなかった。彼はまず馴染みの医者に電話して、家に来てもらったのだ。というのは、この時点で息子は、他殺の可能性があることなど夢にも思わなかったからだ。

高崎邦夫は心臓が弱かった。そのことを承知していた医者は、知らせを聞いた時には、心臓発作を起こしたのだろうと考えていた。ところが死体を見て、あまりに奇妙なので、一応警察に届けることにした。

すぐに所轄の捜査員が駆け付けた。だが彼等にも、その奇怪な死亡の原因が事故によるものか、病気なのか、それとも他殺なのかはわからなかった。そこで彼等の責任者は、本庁に連絡することにした。

本庁からは刑事調査官が出向くことになった。その際、数名の捜査員が同行した。その中の一人が草薙だった。

「で、刑事調査官殿の見解は？」湯川が興味深そうに訊いた。

「こんな死体は初めてだ――そういったよ」

「ほう」

「一番簡単な答えは、入浴中に心臓発作を起こして、そのままポックリいっちまったって話だ。暴れた様子もないし、ふつうならそれで誰もが納得するだろう」

「ところがふつうじゃない点があるわけだ」

「それが胸の痣さ」草薙は写真の一部を指差した。

高崎邦夫の右胸に、直径十センチほどの痣が出来ていたのだ。灰色をしており、火傷や内出血の痕《あと》とも思えなかった。息子も、そんなところに痣はなかったはずだと証言した。

「解剖の結果、驚くべきことがわかったんだ」

「何だ。もったいをつけずに、早く教えてくれよ」

「灰色の部分は、細胞が完全に壊死《えし》していたんだ」

「壊死？」

「もちろん人間が死んだ後は、間もなく皮膚の細胞だって死んでいく。だけどこの痣の部分の死は、そういう類のものじゃないんだ。瞬間的に破壊されたっていう感じらしい」

「瞬間的にねえ」湯川は身体を拭き終えたタオルを、スポーツバッグにしまった。「そういう病気はないのか」

「聞いたことがない、というのが解剖を担当した先生の話だ」

「薬物を使った可能性は？」

「死体からは何も検出されていない。まあ、そんな薬物が存在するのかどうかもわからんという話だけどな。とにかくその痣を除けば、死体は心臓麻痺で死んだものと考えて間違いないそうだ」

「心臓麻痺を起こさせるだけなら、方法はないこともないな」湯川が呟いた。

「感電死させるんだろ。それぐらいは俺たちだって考えたさ。コードをコンセントに繋いだテーブルタップを、浴槽に沈ませるっていう手だ。だけどあの方法は、確実性が低いんだよな。詳しいことはわからんが、電気の流れる道筋に関係があるらしい」

「電流密度は二極間の最短経路が最も濃くなるから、確実にショック死させるには、心臓を挟む形に電気コードをセットしなけりゃならないだろうな」

「仮にそうやって感電死させたところで、今回みたいな痣には絶対にならないというのが、専門家たちの話だよ」

「お手上げらしいな」湯川はにやにやした。

「それで気分直しに、おまえの顔を見に来たというわけさ」

「いくらでも見てくれ、こんな顔でよければな」

「これから何か予定があるのか。何もないなら、久しぶりに一杯どうだい」

「僕はいいけど、君はそんなことをしてていいのかい。そんなに厄介な事件が起きてるっていうのにさ」

「事件が起きたのかどうかわからんから弱ってるんだよ」と草薙はいった。

学生時代、バドミントン部の練習の後、よく飲みに行った居酒屋に二人は入った。カウンターの中にいたおかみさんは、草薙の顔を覚えていて、大層懐かしがってくれた。今は刑事だと聞くと、「へええ、一番人が良さそうだったのに、見かけによらないもんだねえ」と妙な感想を述べた。

ひとしきり昔話をした後、例の変死体の話に戻った。

「そのスーパーマーケット経営者は、人に殺されそうな原因を抱えてたのかい」湯川が、刺身を口に運びながら訊いた。

「息子によると、恨まれてた可能性は高いそうだ。裸一貫から小さいながらも店を構えるまでになったわけだから、かなり金銭面で汚いこともしてきたらしい。だけど、具体的な話となると、何も知らないようだった」そう答えてから、草薙は、ししゃもを頭からかじった。

「その謎の死因以外に、不自然な点はあるのか」

「不自然といいきれるほどのことは何もない。死亡推定時刻は、発見された日の前夜十時から午前一時の間だろうということで、入浴するのに自然な時間だ。室内を荒らされた様子はないし、争った気配もない。ただ一点だけ引っかかるのは、玄関の戸締まりがされていなかったことだ。死んだ高崎邦夫という男は、五か月前に女房を亡くして以来、実質的に独り暮らしだった。となると、ふつう入浴前に戸締まりを確認しておくものじゃないか。息子の話でも、そういうところはきっちりしていた性格だったというし」

「その日だけ、たまたま忘れたのかもしれない」

「それはある」頷いて、草薙はビールを飲んだ。

湯川が草薙のコップにビールを注ぎながら、くすくす笑いだした。

「なんだ、どうしたんだ、気味が悪いな」と草薙はいった。

「いや、すまん。こんな状態で、もし容疑者らしき人物が浮かび上がってきたらどうするつもりかと思ってね」

「どういう意味だい？」草薙も湯川のコップに注ぎ返した。

「だって、殺した方法もわからないんじゃ、追及のしようがないだろう。その容疑者に、『じゃあ刑事さん、私が殺したというなら、どうやったのか説明してください』とでもいわれたら、何と答えるつもりだい」

湯川の冷やかし半分の質問に、草薙はしかめっ面をした。

「今回の事件に関しては、俺は取調室には近寄らんようにするよ」

「まあ、それが正解だろうな」

二人でビールを四本空けたところで腰を上げることにした。

店を出てから草薙は時計を見た。まだ九時を回ったところだった。

「もう一軒付き合わないか」草薙はいった。「たまには銀座なんかどうだい」

湯川はおどけたようにのけぞった。

「なんだい、臨時ボーナスでも出たのか」

「死んだ高崎という男が、いきつけにしていた店があるんだよ。そこへ行ってみようと思ってさ」

高崎家の郵便受けに、その店からの封書が入っていたのだ。中は請求書だった。息子の紀之が、「あのケチな親父が、たかが酒を飲むだけのために、こんなに金を使っていたはずはない」と断言するような金額が、そこには並んでいた。となると、考えられるのは、ご執心だったホステスがそこにいるということである。

「君の奢《おご》りなら、といいたいところだが」湯川は上着のポケットに入れた財布を探るふりをした。「たまには無駄な出費も悪くないか。お互い、壊すような家庭もないしな」

「早く守るべき家庭を作らなきゃなあ」草薙は湯川の背中を軽く叩いた。

4

店の名は『キュリアス』といった。シックな内装の、落ち着いた雰囲気の店だった。やや絞った照明の下に、テーブルが並んでいた。

髪の長い若い女が二人のテーブルについた。この店は初めてですよね、と確認するように尋ねてきた。

「高崎さんに教わってね」おしぼりで手を拭きながら草薙はいった。「よく来るんだろ、高崎さん」

「あの、高崎さん？」女が、ちょっと驚いたように目を見張った。

「スーパーを経営してる高崎さんだよ」

「へえ」女は草薙と湯川の顔を見比べた。それから身を乗り出すと、声をひそめていった。「お客さんたち、知らないんですか？」

「何を？」

「高崎さんねえ……」女は周りを少し気にしてからいった。「死んだんですよ」

「えっ」草薙は大げさに目を剝《む》いて見せた。「本当かい？」

「本当。つい二、三日前」

「全然知らなかったなあ。おまえ、知ってたかい」草薙は湯川に訊く芝居をした。

「初耳だ」湯川は無表情で答えた。

「なんで死んだんだ。病気かい」草薙はホステスに訊いた。

「それがねえ、よくわからないんですって。たぶん心臓麻痺だって話ですけどね。自宅のお風呂で死んでるのを息子さんが見つけたそうよ」

「君、よく知ってるな」

「新聞に載ってたのを、ママがびっくりして見せてくれたんです」

「ふうん」

死体が発見された日の翌日の朝刊に、高崎邦夫の変死についての記事が小さく載ったことは、草薙も知っていた。

「お客さんたち、高崎さんとはどういうご関係？」

「まあ、遊び仲間だよ。でも死んだことも知らないんじゃ、仲間とはいえないな」そんなことをいってから、草薙は水割りを飲んだ。

「お仕事は？」

「俺の仕事？　ふつうのサラリーマンだよ。でもこいつは違うぜ。帝都大学物理学研究室の若き助教授だ。しかも将来のノーベル賞候補ときてる」

そういって湯川のことを紹介すると、「へえー」と女が感嘆の声を上げた。

「すごいんですねえ」

「別にすごくないよ」無愛想に湯川はいう。「ノーベル賞候補でもない」

「謙遜するなよ。それより、名刺を見せてやったらどうだ」草薙はいった。「信用してないと心外だからさ」

これは、相手を油断させるために協力してくれというサインだった。それを察したらしく湯川は、不承不承といった感じで名刺を女に差し出した。

「すごーい、物理学科第十三研究室って、何を研究しているところなんですか」

「相対性理論とダーウィンの進化論について、ニュートン展開しようとする研究だ」

「えー、何ですか、それ。難しそう」

「つまり、一般の人には糞の役にも立たない研究だ」湯川はあまり面白くなさそうな顔で、水割りのグラスを口に運んだ。

「高崎さんが来た時も、君が相手をしてたのかい」草薙は女に訊いた。

「あたしがつくこともありましたけど、大抵はサトミちゃんかな。お気に入りだったから」

「どの子？」

「あそこの席の、黒い服を着た子です」

教えられた方向を見ると、黒いミニのスーツを着た女が、他の客の相手をしていた。年齢はまだ二十代前半だろう。ストレートの髪を、肩のすぐ下まで垂らしている。

「後で、ちょっと呼んでくれないか」

「いいですよ」

この希望は、それから約十分ほどで叶えられた。サトミたちの客が、早々に腰を上げたからだった。

草薙は先程と同じような会話を交わし、サトミの警戒を解いた。さらにサトミというのが本名で、漢字で聡美と書くことを聞き出すことにも成功した。

「しかし人間ってのは、いつどうなるかわからんものだなあ。あの元気な高崎さんが、風呂でポックリいっちまうなんてなあ」草薙は大きくため息をついていった。

「あたしもびっくりしちゃったんです」と聡美も応じた。

「君も新聞で知ったの？」

「そうです」

「そうか、そりゃあ驚いただろうなあ」

「ええ、信じられなかったですよお」聡美は唇を少し尖らせるようにしていった。

話し方もそうだが、動作の一つ一つに気怠《けだる》さを感じさせる女だった。化粧をしているのでわかりにくいが、昼間見ればいつも眠そうな顔をしているのではないかと草薙は想像した。だがこんな雰囲気に強くひかれる男が少なくないことも彼は知っていた。そしてこういう女が、いつも緩慢とはかぎらないことも、犯罪者と接したこれまでの経験から熟知していた。

草薙は、聡美が使い捨てライターで煙草に火をつける様子を観察した。彼女の右手の中指と薬指に、指輪がはめられていた。

「君、昼間は何をしてるの？」突然横から湯川が質問した。

「えっ、昼間ですか」

「うん、別の仕事を持ってるんだろ」

湯川が決めつけるようにいったせいか、聡美は小さく頷いた。

「何をしてるの？」と草薙も訊いてみた。「ふつうのＯＬかい」

「そうです」

「どういう業種の会社か当ててやろうか」湯川がいった。「製造業、つまりメーカーだ」

聡美が、ぱちぱちと瞬《まばた》きした。

「どうしてわかるんですか」

「それはまあ物理学の基本だよ」

湯川の答えに対して聡美が何かいおうとした時、誰かが彼女の名前を呼んだ。それで彼女は、ちょっと失礼します、といって席を外した。

草薙は素早く手にハンカチを持ち、彼女がテーブルの上に置いたままの使い捨てライターを取った。『キュリアス』という店名が入っている。

「現場からは被害者以外の指紋がかなり見つかったのかい」草薙の目的を察したらしく、湯川が尋ねた。

「いくつかな」答えながら草薙は、ハンカチに包んだライターを懐《ふところ》にしまった。「他殺だとしても、今時の犯人が指紋を残すようなへマをするとも思えないんだけど、まっ、だめで元々だ」

「そういう地道な努力が実を結ぶこともあるさ」

「それならいいんだが。それより」草薙は声をひそめた。「どうして彼女の勤め先がメーカーだってわかったんだ」

「会社勤めだとしたらメーカーだろうと思ったのさ。しかも勤務場所は、おそらく工場内だ。ただし彼女自身は作業員ではない。現場で事務をしているんだろう」

「だから、なぜそんなことがわかるんだ」

「ひとつには髪型だよ。ストレートの髪なのに、上のほうに不自然な段がついている。あれはたぶん帽子の跡だ。社内で帽子をかぶらなきゃならんとなると、一番可能性が高いのは、職場が製造現場内にあるということだ」

「エレベータガールは帽子をかぶってることがあるぜ。受付嬢も」

「それなら、ふつうのＯＬかと訊かれて、単にそうですとは答えないさ。それからもう一つ、髪に小さな金属粉がついていた。あれは粉塵の多い職場での、女性の悩みの一つなんだ」

草薙は、しげしげと物理学者の顔を眺めた。

「よく観察しているものだな、女なんかには興味がないという顔で」

「観察する必要がなければ、ここまで観察しないさ。彼女について調べるのが、今日ここへ来た目的なんだろ」

「それはまあそうだが、ついでに、なぜ彼女は作業員じゃないのかということも教えてほしいね」

「それは一番簡単だ。爪が長すぎる。付け爪には見えないし、あれでは現場の作業はできない」

「なるほどね」

製造現場という言葉を聞いて、草薙は思い出すことがあった。高崎紀之が家の洗面所で、見慣れない軍手を拾っていることだ。工場なら、軍手を使うことは多いに違いなかった。

聡美が戻ってきて、どうも失礼しました、といって席に座り直した。

「君、どういう職場にいるの」と草薙は訊いてみた。

「あたしですか。えーと、ふつうの職場ですよ。経理とかしているんですけど」

「ふうん」

草薙は湯川のほうを見た。湯川は彼女に気づかれぬような小さな動きで、かぶりを振って見せた。嘘をついてるんだよ、という目をしていた。

それから水割りを二、三杯飲んで、草薙たちは腰を上げた。帰りに請求された料金は、いつもの居酒屋なら五回ぐらいは飲めそうなものだった。

建物の外まで聡美が見送ってくれた。タイミングよく通りかかったタクシーを湯川が止めた。

「ホステスも大変な仕事だな」車に乗り込んでから湯川はいった。

「その分、いい給料を貰ってるさ」

「中には妙な客もいるだろうに」湯川は後ろを振り返った。「それにああいう男もいる」

えっ、と草薙も後ろを見た。若い男が、聡美に何か話しかけているところだった。聡美のほうは何となく迷惑そうだ。

「あの若者、建物のそばに隠れてたんだ」と湯川はいった。「たぶん彼女に気があって、あんなふうに出てくるのを待ってたんだろう」

「客には見えないな」

「うん。だけど恋人にも見えない」

タクシーが角を曲がったので、二人の姿は見えなくなった。

5

高崎の知り合いだという二人組の客を見送った直後、田上昇一がいきなり現れたので、聡美はぎくりとした。できれば気づかないふりをしてエレベータに乗りたいところだったが、生憎《あいにく》田上は彼女の真正面に現れたのだった。

「聡美ちゃん……」と彼は弱々しい声で呼びかけてきた。

「あんた……どうしてこんなところに来たのよ」

「だって、電話しても留守電のままだし、会社でもなかなか会うチャンスがないから」

「あたしがここにいること、なんで知ってるの」

「それは……前に一度……」

「尾行《つけ》たわけ？」

田上は小さく頷いた。信じられない、と聡美は横を向いた。

「あのさ、これを渡したくて」彼は小さな袋を差し出した。

「何、これ？」

「開けてみればわかるよ」

「そう。じゃ、後で見とく。用はそれだけね」聡美は周囲を気にしながら歩きかけた。こんなところを店の客に見られたら、何をいわれるかわからなかった。

「あ、ちょっと待って」だが田上は彼女を呼び止めた。

「まだ何かあるの？」

わざとげんなりした顔を作って振り向いたにもかかわらず、彼は馴れ馴れしく歩み寄ってきて、小声でいった。

「あれ、うまくいったみたいだね」

「あれ？」聡美は眉をひそめた。「何のことをいってるの？」

「あれのことだよ。新聞で読んだよ」そういって田上はジーンズのポケットから紙切れを取り出し、聡美の顔の前で広げた。

それは新聞の切り抜き記事だった。『スーパー店主が浴室で変死』という見出しが聡美の目に入った。

「ちょっ、ちょっと、ちょっと待ってよ」

聡美は彼の手から新聞記事を奪い取ると、そのまま彼の背中を押して、そばの階段の陰に隠れた。

「冗談いわないでよ、あたし、こんなのと何の関係もないよ」彼女は記事を細かくちぎった。

「でも、あれを貸してくれっていったじゃないか。だから、僕がわざわざ君の部屋まで届けてあげたんだろ」

田上がいい終わる前から、聡美は首を振り始めていた。

「この間はあたしがどうかしてた。だからあんたに変なことをいわれて、あんなものにちょっと興味がわいたりしちゃったのよ。でもすぐに冷静になって、やっぱり馬鹿なことはしないでおこうと思い直したんだから」

「本当?」田上は目をきょろきょろ動かした。「僕はさっきの記事を読んで、聡美ちゃんがやったんだろうと思い込んでたんだけどな」

「違うわよ。あたしが殺したかった相手は、あんな人じゃないよ。それから、あれは、昨日宅配便であんたのところに送り返したから」

「それはわかってる。今日、受け取ったよ。でも聡美ちゃん、あれを箱から出したのは事実だろう？　梱包の仕方が少し違ってたし、中に入れてあった軍手の片方がなくなっているんだけどな」

「軍手？」聡美は、どきりとした。

「工場で使ってるやつだよ」

聡美は緊張した時の癖で、下唇を嚙んでいた。だが何とか田上の前では平静を保とうとした。

「興味があったから、ちょっと箱から出してみただけよ。たぶんその時に軍手の片方が出ちゃったのね。だからあたしの部屋にあるはずだから、返してほしいなら送るけど」

「いや、そんなのはいいよ。軍手なんかどうだっていい。そうか、僕はてっきり、君があれを使ったんだと思い込んでた。現場が風呂場だってことや、胸の皮膚が腐ってたことなんか、僕が予想した通りのことだったから……」

「違うっていってるでしょ。しつこいよ」聡美は早口でいい放った。

田上は途端に気弱な表情になった。

「違うんならいいんだよ」

その時、そばのエレベータが開いて、どこかの店のホステスと客が降りてきた。

「じゃ、あたし、忙しいから。もうこんなところへは来ないでよ」そういうと聡美は素早く乗り込み、『閉』のボタンを押した。

間もなく二枚のドアが、未練ありそうな田上の視線を遮《さえぎ》ってくれた。

聡美は胸を押さえた。動悸はなかなか静まらなかった。

田上昇一が、あの小さな新聞記事と聡美とを結びつけて考えたことは、彼女にとって誤算だった。いやそもそも、あれが新聞記事になったこと自体が計画外だった。

「これを使った殺人は、まだ世界でも例がない、だから絶対に他殺とはわからない」あれを貸してくれる時、田上はこう断言したのだ。たぶん心臓麻痺としか判断できないんじゃないか、ともいった。それで彼女は実行を決断したのだ。

単なる心臓麻痺なら新聞に載ることはなく、田上にしても、彼女が実行したかどうかを知ることはできない。それならば後から、結局あれは使わなかったといい通せば、田上に弱みを握られることもない――これが聡美の考えだった。

彼女は何とか気をとりなおそうとした。多少危ない面もあったが、どうにか田上をごまかすことはできたようだった。彼にしても、あれを使って人殺しをしたことはなさそうだから、死体がどんなふうになるのか、正確には知らないはずだ。

こんなところで躓《つまず》けない、と彼女は思った。勝負はこれからなのだ。

高崎邦夫を殺した時のことを、彼女は思い出した。不思議なことだが、今も全く恐ろしさはなく、後悔もしていなかった。うまくいってよかったという安堵感だけが彼女の心を支配している。

浴槽に身体を沈めていた高崎は、彼女があれを持って浴室に入っていっても、殆ど怪しまなかった。お風呂で使う健康器具よ、と事前に見せてあったからだ。だから彼女があれを高崎の胸に近づけた時でさえ、数秒後に自分の心臓が停止することなど想像もしなかったに違いない。その証拠に彼は最後まで、にやにや笑っていたのだ。

あんなに楽な殺人は、たぶんほかにはないだろうなと彼女は思った。田上は本当にいいものを貸してくれた――。

エレベータを降りてから、聡美は自分が紙袋を持っていることに気づいた。田上から貰ったものだった。店に入る前に彼女は袋の中を覗いた。そして顔をしかめた。

中に入っていたのは、手製のブローチだった。

6

『キュリアス』に行った翌日の午後四時過ぎ、草薙は一人で、埼玉県新座《にいざ》市にある東西電機株式会社埼玉工場を訪れた。内藤聡美の昼間の勤務地がここであることを、彼は突き止めていた。本当はもっと早くに行動したかったのだが、『キュリアス』のママが午後二時になるまで電話に出てくれなかったのだ。

正門で来客簿に名前を書き、その場で社内電話を借りて、聡美の職場である試作部試作一課にかけてみた。身分を名乗り、そちらの職場について少し訊きたいことがあるので職場の人と話をさせてほしいというと、所属長である課長は、途端に緊張した声を出した。「うちの職場が何か?」

「いえいえ、何かの事件に関わっているとか、そういう意味ではないんですよ。むしろ、ちょっと御相談したいことがあるといったほうがいいんです。どなたか、時間を割《さ》いてくださる方はいらっしゃいませんか。もちろん、どなたもお忙しいでしょうが」

「はあ、そういうことですか。じゃあ、誰がいいかなあ。男の社員のほうがいいでしょうねえ」

「そうですね」と草薙は答えた。聡美のことを訊くには女のほうがよさそうだが、そういって聡美本人に来られたら困る。

では誰か行かせます、といって課長は電話を切った。

守衛室前で五分程待っていると、四十半ばぐらいの背の低い男が、とぼとぼと近づいてきて、班長の小野寺と名乗った。なるほどと草薙は合点した。現場で一番簡単に時間を割けるのは、班長ということになるらしい。

「ええと、それで、どんなことを話せばいいんでしょうか」小野寺は作業帽の上から頭を掻きながら訊いた。わけがわからぬまま刑事と会うことになり、戸惑っているのだろう。

「職場のことを話してほしいんですよ」草薙は和《なご》やかな顔を作っていった。「仕事の内容だとか、職場で働いている人たちのことです」

「ははあ、そうですか」班長は今度は首筋に手をやった。「じゃあとりあえず、うちの現場でも見てみますか」

「いいんですか」

「はあ、一応許可は貰ってますんで。そのかわり、これとこれを身につけてくれますか」そういって小野寺が差し出したのは、見学者と書かれた帽子と、レンズに度の入っていない眼鏡だった。

職場は試作工場の中だと彼はいった。試作部というのは、その名のとおり、部品や製品の試作品を作る部署らしい。特に小野寺たちの試作一課では、電気部品の試作品を主に作っているという話だった。

「ああ、そうだ。これに見覚えはありませんか」

工場に向かう途中、草薙は上着のポケットからビニール袋を取り出した。中に入っているのは、高崎紀之が洗面所で拾った軍手だ。

「この軍手ですか」小野寺はじろじろと眺めてから首を捻った。「さあ、うちの職場で使ってるのと同じに見えるけど、こんなの、そういくつも種類があるわけじゃないもんねえ」

「そうでしょうね」予想通りの答えだったし、最初からさほど期待していなかったので、草薙はすぐにビニール袋をポケットにしまった。

試作工場は、ふつうの体育館なら二つか三つは楽に入りそうな大きさをしていた。その広大なフロアに、旋盤やボール盤をはじめとする工作機械が無数に並んでいる。それぞれの部署の間に間仕切りのようなものはなく、頭上に、『試作一課』などと書いたプレートが掲げられていた。オートメーション化された工場というより、巨大な町工場という印象を草薙は持った。

「生産ラインみたいなものはないんですね」草薙は小野寺にいった。

「そりゃあそうです。生産ラインというのは、きちんと設計も固まって、大量生産が決まってから作るもんです。ここでは、まだ設計者も自信がないようなものを、試しに作るわけです。いわば、一品ものを手仕事で作るんですよ」

「難しそうですね」

「そうですね。いろいろと無理なことも要求されます。だから、結構最新の設備を持ってますよ。鉄板の型抜き加工なんか、一品もののためにわざわざ型を作るわけにもいかないから、レーザー切断機を使ったりするんです」小野寺は鼻を少し膨らませ気味にしていった。仕事に誇りを持っている様子だった。

工作機械を扱っている作業者は例外なく男子だったが、巻き線班と表示された部署で小さなコイルを作っているのは、全員が若い女性だった。そして男子にしろ女子にしろ、皆が帽子と安全眼鏡をつけていた。草薙は、内藤聡美の昼の職場を見抜いた湯川の慧眼《けいがん》に、改めて舌を巻いた。

「試作一課には事務所のようなものはないんですか」

「うちのというより、試作部全体の事務所が工場の奥にあります。御案内しましょうか」

「そうですね」少し考えてから草薙は頷いた。「ええ、お願いします」

迷ったのは、内藤聡美と顔を合わせた場合を想像したからだが、その時はその時だと開き直ることにした。

事務所に行くと、小野寺が課長に草薙のことを紹介した。草薙は素早く事務所内を見回したが、幸い内藤聡美の姿はなかった。

伊勢という名字の課長は、草薙が何を調べているのかをしつこく尋ねてきた。仕方なく彼は、もう一度さっきの軍手を出し、ある事件の現場にこれが落ちていたのだといった。「どうしてこの軍手から、うちの職場を？」伊勢は当然の疑問を口にした。

「それはまあ捜査上の秘密です。でも、調べているのは、こちらだけではありませんから ご心配なく」草薙は早々にビニール袋を片づけた。「ところで、おたくの課には女子社員の方はいらっしゃらないんですか」

「女子作業員という意味ですか」

「いえ、そうではなく……」

「事務員ですか。いますよ、一人。内藤という者です」伊勢はちらりと周りを見た。

「今ちょっと、上の者に呼ばれて、ほかのところに行ってるんですが」

「どういう人ですか」

「どういうって、まあ、ふつうの女の子ですよ」

「周りが男性ばかりだから、さぞかし人気があるんでしょうね」

「それはまあ」伊勢は黄色い歯を見せた。

「同じ職場に付き合っている人がいるとか」

「さあ、そういう話は聞いてませんが……ええと、内藤が何か？」

「いや、単なる好奇心です」

この中年男が内藤聡美の本性について何か知っているとは思えなかった。それより草薙は、先程から自分たちのほうを気にしている女子社員がいることに気づいていた。少し離れた席で何か書きものをしているショートヘアの娘だ。

草薙は適当に礼をいい、腰を上げた。まだ残っていた小野寺が門まで送っていくといったが、丁重に辞退した。

ショートヘアの女性の後ろを通る時、草薙は彼女のすぐ前に置いてある電話機に視線を走らせた。受話器に書かれている四桁の数字は、内線番号だと思われた。彼はそれをしっかりと記憶に刻み込んだ。

事務所を出ると、彼は近くの電話で、早速覚えたばかりの番号にかけた。窓ガラスを通して、あのショートヘアの娘が受話器を取るのが見えた。

草薙は彼女を驚かせないよう慎重に名乗り、事情があって伊勢課長たちには内緒で、内藤聡美さんについて尋ねたいのだといった。彼が直感したとおり、彼女は快く協力を約束してくれた。たぶん、先程からずっと好奇心を刺激され続けていたのだろう。

工場の外にある休憩所で待っていてくれと彼女はいった。それで草薙がそこへ行き、自動販売機でコーヒーを買っていると、彼女は小走りに現れた。

橋本妙子というのが彼女の名前だった。試作二課に所属しているという。草薙は、休憩所の中に並んだ長椅子の一つに、彼女と二人で並んで腰かけた。

「じつはある人物が変死してね。関係者について情報を集めているんだけど、その一人に内藤さんがいるんだ」この相手には、ある程度本当のことを話したほうがいいと判断して、草薙はいった。

「それ、男の人でしょう」橋本妙子は、細い目を光らせていった。

「どうしてそう思うわけ？」

「違うんですか」

「立場上、あまり情報を漏らすわけにはいかないんだが、まあ否定はしないでおこう」

「やっぱり」橋本は舌なめずりしそうな顔で頷いた。

「そんなふうにいうところを見ると、内藤さんはかなり男性関係が派手なのかな」

「そのはずです。彼女、会社ではおとなしそうな顔してるけど、盛り場で知らない男性と一緒にいたのを見たっていう人、結構いるんです」

「へえ」この口調から察すると、橋本妙子は聡美が水商売のアルバイトをしてることは知らないらしいと草薙は思った。「特定の恋人はいないのかな」

「さあ。でも、少なくとも職場にはいません。彼女、現場の人間には興味がないって、よくいってましたから」

「そうなの」

「結婚するなら東京出身のエリートだって。自分だって高卒で、新潟から出てきたくせにね」橋本妙子は口元を歪めた。

「プライドが高いんだ」

「それはもう」妙子は大きく頷いた。「試作部の別の課に、彼女の部屋に遊びに行ったっていう子がいるんです。部屋中ブランド品の山だっていってました。でもね」声をひそめた。「カード破産しそうになったらしいんですよ」

「本当かい」

「だってそれについて相談された子だっているんですから」

「で、なんとかなったのかな」

「なったみたいです。みんなで、どうやって切り抜けたんだろうって噂してたんですけどね。借金が何百万もあったはずなのにって」

「それはすごいな」

「でしょう？」妙子は目を大きく開いた。

あの店での稼ぎだけで、そういう借金を返すのは無理だろうと、草薙は『キュリアス』の店内を思い浮かべた。

草薙は妙子と一緒に休憩所を出た。礼をいって別れようとした時、彼女がある方向を指差して囁《ささや》いた。

「あそこに歩いている彼も、聡美に夢中なんですよ」

草薙は指された方向を見た。作業服を着た若者が、台車を押しながら歩いているところだった。

『キュリアス』の外で聡美を待っていた若者に違いなかった。

7

この日内藤聡美は、胸躍《おど》らせることと憂鬱なことを一つずつ抱えたまま、『キュリアス』に出勤した。

いいことは、松山文彦とのことが順調に進んでいることである。今日もそのことで部長に呼ばれたのだ。

松山文彦は、本社の生産技術部に籍を置く男性社員だが、ふつうの社員ではなかった。彼は、東西電機の下請け会社である松山製作所の跡とり息子なのだ。当然将来は父親の会社に戻ることが決まっていて、いわば修業の形で東西電機に籍を置いている。そのことは東西電機の人事部も先刻承知で、生産技術部という部署が選ばれたのも、そこが最も松山製作所と繋がりがあるからにほかならなかった。

その松山文彦が聡美のことを見初《みそ》めたのは、二か月ほど前らしい。打ち合わせで何度も新座工場に通ううちに、彼女のことを知り、気に入ったということだった。

交際したいという申し出が、何と部長経由で聡美に伝えられた。それが十日前のことである。

聡美は松山文彦のことは知っていたが、彼がそんな気持ちでいることなど想像したことがなかった。そして何より、彼がそんな特別な社員であることを知らなかった。それで、興味もなかったのだ。

だが部長から詳しい事情を知らされ、彼女は俄然松山文彦に関心を持った。これが自分に与えられた、人生最大のチャンスのように思えた。

部長は彼女に二つのことを訊いた。付き合っている相手はいないか、松山君と交際する気はないか、ということである。

特定の相手はいない、と彼女は即座に断言した。そして、この話については、じっくり考えて返事したいと答えておいた。

そして今日、部長に呼ばれ、返事を聞かせてほしいのだがといわれた。聡美は少々照れた演技をして、お付き合いしてみても結構です、と答えた。部長は晴れ晴れとした顔をし、まるで結婚話がまとまったように祝福の言葉を並べた。

幸福な気分に浸って部長室を出た聡美だったが、職場に戻って間もなく、不愉快な思いをさせられた。その不吉な風を運んできたのは、隣の課の橋本妙子だった。一見親切そうだが、じつは底に陰険な性格を秘めている、この一年先輩の女子社員が、聡美は大嫌いだった。

今日も聡美が席につくなり、さも親しげに妙子は話しかけてきた。

「さっき、おたくの課に、変わったお客さんが来てたのよ」

「えっ、どういう人ですか」

「それがねえ」妙子は声を落とした。「警察の人」

ぎくりとしたが、聡美は平静を装った。

「へえ、何かあったのかしら」

「殺人事件らしいわよ」

「えっ」さすがに身体が熱くなった。

「それでねえ、どういうわけか、あたしだけ後から特別に呼ばれたの。で、何を訊かれたと思う?」

妙子が唇から赤い舌を覗かせるのを見て、聡美は蛇を連想した。

「わかりません。何を訊かれたんですか」

「それがねえ」妙子はさらに声を低くしていった。「あなたのことよ。恋人はいるのか、とか。派手な性格か、とか」

聡美は言葉を失っていた。なぜ刑事が自分のことを嗅ぎまわり始めたのか、見当がつかなかった。

「でも、安心して」と妙子はいった。「いいようにいっておいてあげたから。とってもいい子だって。刑事さんも信用してたみたい」

「それはどうもありがとうございます」

聡美がいうと、妙子は勝ち誇ったような顔をして自分の席に戻っていった。その後ろ姿を見て、聡美は吐き気を催した。

妙子が本当に自分のことをいいように話したわけがない、と聡美は考えていた。いずれ直接自分のところへ刑事が来ることも覚悟しなければ、と思った。

でも大丈夫、証拠なんてないんだ――。

高崎邦夫を殺した時、彼がいつも持っているセカンドバッグの中から、聡美が金を借りた時に書かされた借用書は、全部回収しておいた。指紋は残さなかったつもりだし、高崎との間に特別な関係があったことなど、誰も知らないはずだった。

気を取り直し、彼女はいつも通り、酔客の相手をした。そろそろこの店を辞めることも考えなければと彼女は考え始めていた。東西電機はアルバイト禁止だ。それでなくても、こんなところを会社の人間に知られたりしたら、松山文彦との話に悪影響が出るのは必至だった。

折を見てママに話そう――聡美がそんなことを考えていた時だった。軽く肩を叩かれた。先輩ホステスの亜佐美だった。

「カウンターにいる彼が、あんたに話があるらしいんだけど」耳元でそう囁いて、カウンター席のほうを親指で示した。

何だろうと思い、聡美はカウンターを見た。同時に、顔をしかめそうになった。

田上昇一が、全く似合わない背広を着て、彼女のほうを見ていた。

8

リング形の磁石の上に、アルミホイルで包んだ小石のようなものが浮いている。周囲に白煙が上がっているのは、空気中の水蒸気が冷やされているからだ。

小石の正体は超伝導体だった。それを液体窒素で冷やし、断熱材とアルミホイルでくるんであるのだ。

白衣を着た湯川が、ピンセットで超伝導体を磁石に押しつけ、離した。すると超伝導体は再び磁石の上で浮揚した。ただし、先程までよりは磁石との距離が短くなっている。

この状態から湯川は、磁石を指先でつまみ上げ、そのままひっくり返した。だが超伝導体は距離を保ったまま、磁石の下側に浮揚したままだった。湯川が磁石をどのような角度に動かしても、見えない金具で固定されているように、超伝導体は磁石との位置関係を変えないのだ。

「これが超伝導体のピン止め効果だ。簡単にいうと、磁力で空間に固定するわけだ。リニアモーターカーなんかでも応用されようとしている」そういいながら湯川は磁石と超伝導体を机の上に置いた。

「よく考え出すよなあ、科学者は」草薙は感心していった。

「考え出すより、見つけ出すという部分のほうが多いんだがね。そういう意味では、科学者は常に開拓者といえる。研究室にこもって考え事ばかりしているのが科学者だと思ったら、大きな誤解だぜ」

「それほどいうからには、何か見つけ出してくれよ」草薙は椅子にかけてあった湯川の上着を、彼に向かって放り投げた。

「そこに何かがあるのならね」と湯川はいった。

この日草薙は、高崎邦夫が死んでいた浴室を湯川に見せようと、帝都大学を訪れたのだった。高崎の死因については警察でも未だに謎のままで、いわば最後の頼みといったところだった。

愛車のスカイラインの助手席に湯川を乗せ、草薙は江東区を目指した。だが途中で思いついたことがあった。

「ちょっと寄り道しても構わないか」

「マクドナルドのドライブスルーにでも行くのかい」

「もうちょっと色っぽいところだよ」

草薙が寄ろうと思ったのは、『キュリアス』で最初に彼等についた、河合亜佐美というホステスの部屋だった。内藤聡美のことを尋ねるつもりで、『キュリアス』のママから住所を聞き出してあったのだ。

「僕はここで待ってるよ」河合亜佐美のマンションの前に到着すると、湯川が座ったままでいった。

「まあ、そういわずに付き合えよ。あのホステス、俺のことよりむしろ、おまえのことをよく覚えてるだろうからさ」

「君が刑事だと知ったら、どうせ警戒するさ」

「だからこそ余計に、一緒に来てほしいんだよ」

河合亜佐美はまだ部屋にいた。ドアを開けた彼女は、Tシャツにジーンズという出で立ちだった。化粧していない顔は、幾分幼く見えた。

彼女は草薙のことを覚えていた。じつは刑事だと知って、ちょっと怒った顔をした。

「サラリーマンだなんていったくせに」

「刑事だって給料取りには変わりないだろ。それに、彼が大学の助教授なのは本当だ」草薙は隣の湯川を指した。「じつは内藤聡美さんについて、教えてほしいんだ」

「なんだ、聡美ちゃんが狙いだったの」

「狙いってほどでもないんだけどね。彼女、借金があったって本当かな」

「ああ、ちらっと聞いたことがある。ローンの支払いがきついとかいってた」

「それ、今はどうなったのかな」

「さあ。最近はそういうことをいわなくなったから、何とかなったんじゃないの」

「店から金を借りたとかで？」

　すると亜佐美は肩を揺すって笑った。

「うちのママは、アルバイトの女の子に前借りさせるほど、お人好しじゃないよ」

　その時だった。部屋の奥から灰色の猫が出てきた。

「おっ、ロシアンブルーだ」湯川が猫を見下ろしていった。

「よく知ってるじゃない、先生」亜佐美は猫を抱きかかえた。

　猫の首輪に、ブローチのようなものがぶらさがっていた。それを見て草薙は、「猫のくせに、おしゃれなものをつけてるじゃないか」といった。

「ああ、これ。聡美ちゃんから貰ったのよ」

「彼女から？」

「会社に、彼女のことを追いかけ回してる男がいるんだって。その男が作ったらしいんだけど、あんまりダサいんで、あたしにくれたのよ。でも、あたしだって、こんなのつけたくないから、ネオンの首飾りにしちゃったわけ」

　ネオンというのが猫の名前らしい。

「へえ、器用な男なんだな」

　ブローチは、金属のような円形の板に、女の横顔が彫られたものだった。

「ちょっと失礼」湯川がブローチに手を伸ばした。「これ、シリコンウエハーだな」

「シリコン？」

「半導体の材料だよ。こんな硬いものに、よく彫刻が出来るものだな」

「なんか道具を使ったんだろう。工場だから、いろいろな機械があるだろうし」

「それはそうだろうが——」

そこまでいったところで、湯川の目がきらりと光った。いや、光ったように草薙には見えた。

「そうか」物理学者はいった。「わかったぞ。あの奇妙な死体の謎が解けた」

「本当か」

「たぶんな。その工場に行けば、確証が得られるかもしれない」

「これから行ってみよう。あ、だけど今日は土曜日だから休みか」

「現場は休日出勤してるかもしれない。とりあえず行ってみよう。それから」湯川は亜佐美のほうを見た。「このブローチを貸していただけますか」

「あ、どうぞ」といって亜佐美は猫の首輪からブローチを外した。「あの、どういうことなんですか」

「また一つ新しい発見をしたということです」と湯川は答えた。

9

田上昇一のアパートは志木市にあった。窓を開けると、すぐ裏が林で、大きなクヌギの枝が手の届きそうな距離にあった。

内藤聡美は田上が出してくれた古い座布団の上に座り、室内を見回した。四畳半と六畳の和室のほか、床が板張りの小さな台所がついていた。壁には、少し前に人気のあった女性アイドルタレントのポスターが貼られ、本棚にはテレビアニメを録画したらしいビデオテープが、ずらりと並んでいた。

「口に合うかどうかわからないけど」そういいながら、田上が紅茶とケーキをトレイに載せて運んできた。

「おいしそうね」

「まだいっぱい買ってあるんだ。だから遠慮しないで」

「ありがとう」

「いやあ、でも、うれしいなあ。聡美ちゃんが、この部屋に来てくれるなんてさ。なんか、所帯を持っちゃったみたいだね」

田上の台詞に、一瞬にして鳥肌が立ったが、聡美は愛想笑いを続けた。

ゆっくり話をしたいから、明日あなたの部屋に行っていい？——昨日、『キュリアス』に来た田上に、聡美のほうからこういったのだった。

もちろん理由はある。その前に田上から、厄介なことを聞かされていたのだ。

「聡美ちゃん、聞いたよ。高崎邦夫はこの店の常連だったそうじゃないか。しかも君を贔屓《ひいき》にしていたんだろ。となると、やっぱりあれは君がやったこと——そうだろ？」

ここまで知られている以上、ごまかすのは困難だった。また下手に無視して、警察にしゃべられたりしたら、もっとまずかった。そこで一気にけりをつけるため、今日、彼の部屋で会うことにしたのだった。

「ねえ、あれは持ってきてくれた？」ティーカップを持ち、聡美は訊いた。

「あれ？」

「あれよ。ほら……」

「ああ」田上は頷き、立ち上がった、そして玄関のほうへ歩いた。

聡美は隠し持っていた睡眠薬の袋を開封し、素早く田上のカップに入れた。白い粉はすぐに沈んでいった。それは店によく来る客から貰った薬だった。

「ちゃんと持ってきたよ。ほら」田上は大きなスポーツバッグを持って戻ってきた。

「今朝早く工場に行って、こっそり持ち出してきたんだ」

「わざわざごめんなさい」

「いいんだよ。でも、何を確認したいの？　心配しなくても、警察だってこれが凶器だとは思わないよ」田上は上機嫌だった。

「だといいんだけど」

「大丈夫だよ。僕さえばらさなきゃ、絶対平気だ。そして僕は聡美ちゃんの味方だよ。君を苦しめる奴なんか、死ねばいいと思っている。そいつだって、悪い奴だったんだろう」

「まあね」

「そういう男は死んで当然なんだ。心の中が腐ってるんだから、皮膚も腐らせて殺せばいいんだ」そういって田上は紅茶をがぶりと飲んだ。

10

「超音波だって？」ハンドルを握ったまま、草薙は助手席を見た。東西電機埼玉工場に向かう途中のことだ。

「そう、超音波だ」と湯川は前を向いたままいった。「あの奇妙な痣を作り出したのは、超音波の仕業だろう」

「超音波にそんなことができるのか」

「使いようによってはな。超音波療法という言葉があるぐらいだから、うまく使えば人間の身体のプラスになることもあるんだが」

「使い方を間違えれば、凶器にもなるということか」

「そういうことだ」湯川は頷いた。「超音波が水中を伝わる時、負の圧力が生じて、水中に空洞や気泡が発生する。圧力が負から正に変わる瞬間、これらの空洞は消滅するんだが、その際、強烈な破壊作用がある。その現象を利用すれば、宝石や超硬質合金だって加工できるほどだ」そして彼は例のブローチを取り出した。「このシリコンウエハーだって、超音波加工を使って細工されたものに違いない」

「そんなにすごいパワーがあるのか」

「おそろしいほどにね」と湯川はいった。「超音波療法は、極めて圧迫回数の多いマッサージと考えればいいわけだが、同一箇所に長時間放射するのは危険だと聞いたことがある。誤れば、内臓に孔があくこともあるそうだ。神経なんかも、下手をすると麻痺させることになるかもしれない」

「皮膚細胞が壊死することは？」

「大いに考えられる」

湯川の答えに、草薙はハンドルを叩いた。

「そこまでわかっているなら、どうしてもっと早く思いつかなかったんだ」

「無理いうなよ、そんな特殊なものが、身近にあるとは思わなかった」

「どうもイメージがわかないんだが、具体的に、犯人はどうやったわけだ」

「これはあくまでも想像だが」と湯川は前置きした。「風呂に浸かっている被害者の胸に、超音波加工機のホーンを近づけたんだろうな」

「ホーン？」

「振動する工具部分といえばいいかな」

「それは、そんなに手軽に扱えるものなのか」

「小さいものなら、ヘアドライヤーぐらいの大きさだ。それにコードがついていて、電源に繋がっている。電源にもいろいろあるが、手提げ金庫ぐらいのものもあるはずだ」

何でもよく知っている男だなと草薙は改めて感心した。

「で、そのホーンを胸に近づけて、どうするんだ」

「スイッチを入れる。それだけだ」湯川は、あっさりといった。「たぶんホーンの先端付近には、激しい勢いで気泡が発生しただろう。それが被害者の胸に当たったに違いない。同時に超音波は、水、皮膚、体液と伝わり、最後には心臓に達する。強烈な超音波振動は、心臓の神経を麻痺させた」

「一瞬かな」

「それほど長い時間を必要としないことはたしかだろうな」

すごい殺害方法が登場したものだと、草薙は頭を振った。

工場に着くと、草薙は試作一課の現場に直行した。今日、小野寺たちが休日出勤していることは、電話で確認してあった。

「超音波ですか」小野寺は草薙と湯川の顔を交互に見た。

「これを加工できる機械があるはずなんですが」そういって湯川がブローチを差し出した。

「ははあ、これは圧力センサー用のシリコンウエハーだな」小野寺はブローチをしげしげと眺めた。「これに一ミリぐらいの孔をたくさんあけるんですよ。ああそうだ、あれはたしか超音波であけるんだった」

「どこにありますか、その機械は」

「ええと、こっちです」

小野寺が歩きだしたので、草薙と湯川も後に続いた。

「これです」

小野寺が指差したのは、水槽の中に固定された超音波加工機だった。ホーンの先端には、同時にいくつもの孔をあけられるよう、剣山《けんざん》のようにたくさんの針がついていた。

「これじゃないな。電源も大きそうだし、とても持ち運べないだろう」湯川はそう呟いてから、「ほかに、超音波加工機はないんですか」と小野寺に訊いた。

「いや、いろいろありますよ。超音波溶接機とか、超音波研磨機とか」

「人が手軽に持ち運べそうなのはありますか」

「持ち運ぶとなると……」小野寺は帽子の上から頭を掻いた。「あれかな」

「ありますか」

「ええ……」小野寺はそばのスチール棚を眺めた。そこには計測器や段ボール箱が収められていた。「あれえ、おかしいな」彼は首を傾げてから、「おい、ミニの超音波、どこへ持ってった？」と、そばにいた作業員に尋ねた。

「ないんですか」若い作業員も棚を見た。「変だな。たしかにここにあったはずなのに」

「あれを管理してるのは、田上だったな」

「そうです」

「田上？」草薙は聞き直した。「田上昇一さん？」

「知ってるんですか」小野寺が意外そうな顔で振り返った。

「ええ、ちょっと」橋本妙子から、内藤聡美に片思いしている男だと教えられた名前だった。「田上さんが、その機械の管理者なんですか」

「はあ、一応あいつが一番扱いに馴れてるんで」

「田上さんはどちらに？」

「今日は休んでます」

「休み……」嫌な予感が草薙の胸中を横切った。「田上さんの住所はどちらですか」

11

田上昇一が小さな欠伸《あくび》を連発し始めた。

「おかしいな、どうしてこんなに眠いんだろう」

「横になれば？」と聡美はいった。

「いやあ、大丈夫だよ」そういった直後に、彼はまた欠伸をした。「そうでもないかな」

「そんなに眠いんなら」聡美は上目遣いに彼を見た。「お風呂に入ったら」

「お風呂？」

「うん。眠気がとれると思うよ。それに」聡美はちょっと眉をひそめて見せた。「あんた、少し身体が臭いみたいだから」

「そうかな」田上は自分の腋の下の臭いを嗅いだりした。

「お風呂に入ってきて」聡美はもう一度いった。「今日は、するんでしょ」

「あ、うん……」田上は立ち上がった。少しふらつきながら風呂場に向かって歩きだした。「じゃあ、そうしようかな」

田上は風呂場に入ると、すぐに出てきた。湯の蛇口を捻ってきたらしい。

「どれぐらいで浴槽にお湯がたまるの？」

「ええと、十五分ぐらいかなあ」答えた後、田上は畳の上に座り込み、すぐにうとうとし始めた。

聡美は座布団の上で正座したまま、辛抱強く時間が経過するのを待った。田上はすっかり眠り込んでいる。

十四分経過したところで、彼女は田上を揺り起こした。

「ねえ、こんなところで眠ってどうするのよ。お風呂に入ってきなさいよ」

「あっ、ごめんごめん」

田上は顔をこすりながら服を脱ぐと、のろのろと風呂場に入っていった。

聡美は風呂場のドアに耳をつけ、中の様子を窺《うかが》った。はじめは水の流れる音が聞こえたりしたが、すぐに何も聞こえなくなった。

「ねえ」頃合を見計らって、彼女は声をかけた。「起きてる？」

しかし中から返事は聞こえてこなかった。彼女はそっとドアを開けた。

田上は浴槽の縁に頭を載せ、瞼を閉じていた。完全に眠っているように見えた。

聡美は足音を殺して、田上が持ってきたスポーツバッグに近づいた。開くと、段ボール箱が入っていた。彼女は蓋を開けた。前に使ったことのある超音波加工機が、そこには収められていた。

使い方はまだ覚えていた。超音波加工機のコードを電源ボックスに繋ぎ、電源ボックスから出ている電気コードを家庭用コンセントに差し込めばいいのだ。あとは加工機についているスイッチを押すだけだ。

聡美が箱から装置を取り出した時、突然後ろから抱きすくめられた。

「やっぱり僕を殺すつもりだったのか」

田上の身体で、聡美の背中はびしょ濡れになった。ものすごい力で、逃げられそうになかった。

「違うの、そうじゃないの。お願いだから、あたしの話を聞いて」

「だめだよ。もうだめだよ。信じてたのに」

彼は片手を伸ばすと、本棚に置いてあったセロハンテープを摑んだ。そしてじつに手際よく、彼女の両手を背中の後ろに回すと、両手首にテープをぐるぐると巻いた。これでもう手は全く使えなくなった。

「待って、ちょっと待って。誤解してるよ。お願い、助けて」

聡美は必死になって訴えたが、もはや田上の耳には届いていないようだった。彼は彼女の両足首も、同じようにテープで固定した。彼女は動けなくなった。

田上は彼女の身体を抱えると、風呂場に入っていった。そして洋服を着たままの彼女を、浴槽の中に入れた。

彼女は悲鳴をあげた。「何するのよっ」

「声は出さないほうがいいよ。君のためだから」

田上はいったん外に出た。そして戻ってきた彼が手にしているものを見て、聡美は目をつり上がらせた。例の超音波加工機だった。

「改心のチャンスをあげるよ」と彼はいった。「僕と結婚して、これから決して僕を裏切らないと約束するなら、許してあげる。それがいやだというなら」手にした機械を彼女の胸に近づけた。コーラの瓶のような形をした、銀色のホーンが水に触れた。「これにスイッチを入れるしかないな」

聡美は激しく身をよじらせた。

「助けて、お願い、助けて」

「じゃあ、約束する？」

「するから。なんでもあなたのいうとおりにするから。だから殺さないで」

田上は彼女を見下ろし、しばらく黙っていた。魚のように表情のない目が聡美には不気味だった。

「いや」と彼はいった。「それは本心じゃないよ。助かりたいから嘘をいってるんだ。やっぱりこうするしかないね」そして再びホーンを彼女の胸に近づけていった。

玄関のチャイムが鳴ったのは、その時だった。

12

チャイムを二度鳴らしたが、返事がなかった。

「留守かな」と草薙はいった。

「でも、台所の窓が開いてるぜ」湯川はその窓の下に立ち、背伸びを試みた。すぐに彼の顔色が変わった。

「どうした」と草薙は訊いた。

「悲鳴だ」と湯川はいった。「女の悲鳴が聞こえた」

「なにっ」草薙はドアを開けようとした。だが鍵がかかっていた。またドアは、体当たりぐらいでは壊れそうにないスチール製だった。

「合理的にいこう」湯川は台所の窓を大きく開けると、その場でしゃがみこんだ。自分を踏み台にしろという意味らしい。

「すまん」草薙は彼の肩に足をかけると、上半身を窓に突っ込ませた。

室内に人はいなかった。だがすぐに、風呂場から人の喚き声が聞こえることに気づいた。草薙は風呂場のドアを開けた。

全裸の男が、服を着た若い女に襲いかかっていた。女の服はずぶ濡れだった。それでも何とか浴槽から這い出ようとするのを、男が押さえつけようとしていたのだ。

草薙は男の肩を摑むと、外に引きずり出した。男は畳の上で尻餅をついた。

女のほうは浴槽に下半身を沈めたまま、顔をひきつらせていた。どちらもはあはあと全身で息をしていた。

「一体どういうことなんだ」草薙は二人を見ていった。

湯川が、ようやく窓から侵入してきた。彼はゆっくりと風呂場に近づくと、手にハンカチを持ち、床に転がっている超音波加工機を拾いあげた。

「面白い話が聞けそうじゃないか」と彼はいった。

草薙は全裸の男を見た。男は女を見つめていた。

「本当に腐っていたのは」男は呟いた。「君の心だ」

草薙は女を見た。女はゆっくりと身体を水の中に沈め、瞼を閉じた。

第四章　爆ぜる

はぜる

1

双眼鏡の焦点を結んだ先に、ブルーの水着姿があった。

女は上半身を起こしていた。安っぽいビニールシートの上に座っているのだ。顔には濃い色のサングラス。シャネルかもしれなかった。

隣に男が横たわっている。やはりサングラスをかけ、仰向けになっていた。日焼けオイルをたっぷりと塗っているらしく、全身がぎらぎらと光っている。肋骨の浮いた胸が、少しだけ赤い。

女のほうは肌を焼く気はないようだった。ビーチパラソルが作る日陰の動きに合わせて、自らの位置を頻繁に変えている。時折手足に塗っているのも、日焼け防止のクリームだろう。

それでも今日は日差しが強い。女が思い出したように水着のストラップをずらすと、早くも白い線が浮かび上がっていた。

女は眉を寄せ、男に何かいった。こんなところに長時間いると、肌が傷《いた》んで仕方がない、とでもいっているのかもしれない。男は寝転んだまま、笑って何か答えている。だって、おまえが海に行こうっていいだしたんじゃないか、だから連れてきてやったのに――というところか。

こんなに日差しが強くなるなんて思わなかったのよ、だってもう九月なのに。

何いってるんだ、これからの時期のほうが紫外線は強くなるんだぜ。

双眼鏡を覗きながら、『彼』がそこまであてレコした時だった。女が肩にかけていたタオルを置き、サングラスも外して立ち上がった。代わりに、そばに置いてあった空気で膨らませる方式のビーチマットを手にした。

あたし、泳いでくる。あなたは？

俺はいいよ。君一人で行ってこいよ。

女はビーチサンダルを履《は》き、海に向かって歩きだした。

彼は双眼鏡を下ろし、自分の裸眼で女の位置を確認した。九月だというのに、日曜日の湘南の海には、まだカップルや家族連れが溢れかえっている。ましてや今年はブルーの水着が流行だ。彼は女の姿を見つけだすのに、少し苦労した。

彼女は波打ち際でサンダルを脱ごうとしているところだった。素足になると、ビーチマットを抱えて、海に入っていく。

彼は、脇に置いてあるクーラーボックスの蓋を開けた。中には、ビニール袋で防水した『あれ』が入っている。彼はそれを取り出すと、ゆっくり腰を上げた。


梅里律子は泳ぎが得意ではなかった。しかし海は好きだった。ビーチマットに摑まって、波に揺られていると、自然の恵みをたっぷりと浴びているという実感がある。時間の流れさえ、ゆったりとしているように感じられる。

結婚前も、よくこうして海に連れてきてもらったものだった。夫である尚彦は、その頃藤沢に住んでいた。それで横浜でデートすることが多かったのだが、律子が「海で泳ぎたい」というと、尚彦は即座にすべての予定を変更し、自分のパジェロで海水浴場を目指してくれたものだ。だからパジェロの後部には、いつも二人の水着が積んであった。

こんなふうに二人だけでのんびりできるのも、そう長いことではないかもしれないと律子は思った。結婚して約一年、子供を作らずにきたが、そろそろ本気で考えなければいけなくなってきた。双方の親がうるさいし、自分たちの年齢という問題もあった。律子は今年、二十九になっていた。

ボディボードやスキューバダイビングなども始めたかったが、子供を持つことを考えると、当分は我慢せざるをえなかった。仕方がない、と彼女は諦めていた。今はとても幸せだし、そのうえに子供を持とうとしているのだから、楽しみの一つや二つは犠牲にしなければならないと思った。

それにしても今日はなんていい天気なんだろう――律子はビーチマットに上半身だけを乗せ、瞼を閉じた。巨大なウォーターベッドの上にいるようだった。濡れて冷たくなった肌も、忽《たちま》ち暖かくなっていく。

不意にマットの下に何かが当たる感覚があった。彼女は目を開けた。自分のすぐ下に、誰かが潜っていた。

小さく水しぶきを上げ、一人の男が顔を上げた。髪の短い、若い男だった。目にゴーグルをつけていた。

「ごめんね」

男は短くそういうと、また水の中に潜った。そしてどこかへ泳ぎ去った。

律子は、今一瞬自分の脳裏をよぎったことを思い起こし、苦笑した。若い男が現れた時彼女は、自分をナンパしようとしているのではないかと思ったのだ。たしかに数年前までは、そういうこともないわけではなかった。だが二十五歳を過ぎてからは、まず声をかけられることはなくなった。

もういい加減、落ち着かなきゃいけない年齢なんだ、と彼女は自分にいいきかせた。だから子供を作るとするか――。

気がつくと、ずいぶん沖まで流されていた。周りには人も少ない。律子は足を動かし、方向を変えた。

その時だった。

何かが彼女を襲った。


梅里尚彦は、その瞬間を目撃していた。

彼はその少し前に身体を起こし、海に浮かんでいるはずの妻を、目で探していたのだ。律子の姿はすぐに見つかった。ピンク色のビーチマットが目印なのだ。相変わらず彼女はマットにしがみついた格好で、ぷかりぷかりと波間に揺られていた。

彼はキャスターマイルドを一本くわえ、ジッポライターで火をつけた。灰皿は、ついさっき飲んだコーラの空き缶だ。

煙草を吸いながら、彼は妻の姿を眺めていた。一人の男が彼女に話しかけたようだが、すぐにどこかへいなくなった。

馬鹿だな、あいつ――そう思ったのは、律子があわてた様子で方向転換するのを見た時だ。どうやら自分一人だけ沖に出てしまったことに、ようやく気づいたようだ。

尚彦は煙草を吸い、煙を吐き出した。その瞬間――。

突然、轟音と共に妻の姿が火柱に変わった。

それは黄色い火柱だった。海の中から突き出るように、姿を現したのだ。その衝撃力は、周囲の水を一瞬真っ白に染めた。さらに小さな火柱が、弾けるように水の中から飛び出してきた。

最初の爆発で、海水浴場全体がストップモーションになった。海水浴客たちは、何が起こったかわからず、ただ呆然と火柱を眺めていた。

だが次の瞬間にはパニックが訪れた。誰もが競うように海から上がり始めたのだ。悲鳴、怒号、叫び。梅里尚彦は、スティーブン・スピルバーグの『ジョーズ』という映画を思い出していた。あの映画では人々は鮫から逃げていたが、今は火柱から逃げていた。そんな映画のことを考えていたのは、彼が状況を全く把握できず、まともな思考力を失っていたからだった。彼はビーチマットに腰かけたまま、そして指に火のついたキャスターマイルドを挟んだまま、つい先程まで妻が浮かんでいた海面に目を向けていた。そして彼女の姿を探していた。

その海面上では、爆発はおさまっていた。ただ白く細かい泡が、幾重にも同心円を描いているだけだ。

周りの人々は、口々に何か喚《わめ》いていた。だが尚彦の耳には入っていなかった。

彼はようやく立ち上がった。それからふらふらと海に向かって歩きだした。何が起きたのか、今でもまだわからなかった。ただはっきりしていることは、誰もが海から上がったはずなのに、彼の妻だけが戻ってこないということだった。

「律子は……どこだ？」

やがて尚彦の目は、海面上に浮かぶものを捉えた。ピンク色をしたビニールのようなものだった。

その瞬間律子が乗っていたビーチマットの色を、彼は思い出していた。

2

電話をかけてきたのが、坂上ハイツの住人だとわかった時、加藤敏夫はちょっといやな予感がした。築十年のそのアパートは、安普請《やすぶしん》でしかもプライベートを重視した作りにはなっていないので、入居者同士のトラブルが絶えなかった。独身者が多いことも、その原因の一つだ。東京都がゴミ回収の新しい条例を作ってから何年にもなるというのに、彼等の中には全くルールを守らない者も少なくなかった。

そして加藤の予感通り、それは苦情の電話だった。一階に住んでいる主婦だが、上のベランダからしずくが落ちてきて困るという。せっかく洗濯したシーツをどうしてくれるのかと、加藤にくってかかる始末だった。

「ええと、上は藤川さんですよね。いらっしゃらないんですか」

に喚いた。

「いないからこうして電話してるんでしょ。すぐに何とかしてよ」主婦はヒステリック

「はいはい。ええと、すぐに行きます」

電話を切り、加藤は顔をしかめたまま坂上ハイツの鍵を探した。藤川雄一も独身者だった。しかしこれまでに問題を起こしたことは一度もない。賃貸契約を結ぶ時に顔を合わせたきりだが、無口で、物静かな青年だという印象があった。

加藤はほかの者に店を任せ、ライトバンで出かけた。加藤不動産は、彼の父親が始めた店だった。

三鷹駅から徒歩七分、美築、というのが坂上ハイツの謳《うた》い文句だった。徒歩七分のほうに嘘はないが、灰色に変色した壁を見ると、美築という表現には抵抗があった。幹線道路が近いので、排気ガスの影響で黒くなるのだ。

ベランダのほうに回り、問題の箇所を確かめた。すぐに原因がわかった。藤川の部屋で使っているエアコンのホースが、途中で外れてしまったため、水が垂れているのだ。階下の主婦によると藤川は留守のようだが、エアコンの室外機は動いている。止め忘れたか、暑いので、わざとつけっぱなしにして会社へ行ったかのどちらかだろうと加藤は思った。

いずれにしてもこのままにはできなかった。加藤は合鍵を出しながら、階段を上がっ

た。

藤川の部屋は二〇三号室だ。そのドアの郵便受けに、新聞が二、三日分差し込んであった。ということは、出張か旅行に出たのか。エアコンは止め忘れたと考えるのが妥当のようだった。

合鍵でドアの錠を外した。その瞬間、嫌な予感を彼は抱いた。

部屋は１ＤＫで、玄関から入ってすぐ左に流し台がある。奥には五畳ほどの洋室があるが、ダイニングとの境の引き戸が閉まっており、中を見通すことはできなかった。

加藤は靴を脱ぎ、室内に上がり込んだ。何が自分をこれほど嫌な気分にさせているのか、彼にはわからなかった。

その正体を知るのは、彼が引き戸を開けようとする直前だった。それは臭気だった。何ともいえぬ不快な臭いが、戸の隙間から漂い出ていた。

これはもしや、と思った時には、彼の手は引き戸を開けていた。

部屋の真ん中で、人間が俯《うつぶ》せになって倒れていた。トランクスにＴシャツという格好だった。その白いＴシャツには、黒い地図のような模様が描かれていた。よく見るとそれは、割れた頭から流れ出た血液だった。

二秒後、加藤は大きく後ずさりし、ダイニングの中央に尻餅をついた。

3

ドアに貼られた行き先表示板によると、湯川学は行方不明ということだった。在室、講義、実験室、外出中、休み、のどの欄も空白になっていたからだ。ふとドアの下を見ると、青色の磁石が落ちていた。草薙俊平はそれを拾い上げ、ドアをノックした。

ドアを開けたのは、髪を茶色に染めた若者だった。眉毛を格好よく整えている。最近は理科系の学生でもお洒落だなと、三十四歳の草薙は思った。

湯川はいますか、と彼は訊いた。胡散《うさん》臭い男が助教授を呼び捨てにしたことが不思議だったのか、学生は意外そうな顔で、はあ、と頷いた。

「今、忙しいみたいですか。それなら出直しますが」

「いえ、平気だと思いますけど」茶髪の若者は、ドアを大きく開けて草薙を招き入れてくれた。

草薙が入っていくと、湯川学の少し鼻にかかった声が聞こえた。

「もし圧縮ボンベが沈んでいたのだとしたら、なぜそれが破裂したのか、その中身は何だったのかということを考えなければならない。どこかが破損していて腐食が進んだというなら、なぜ先に気体が漏れていなかったのか。また、気体が燃えた原因は何だったのか」

　湯川は椅子に座り、三人の学生相手に話をしているところだった。研究の話なら邪魔するわけにはいかないと草薙は思ったが、湯川のほうが彼に気づいた。

「おう、ちょうどいいところにゲストが現れた」

「邪魔じゃなかったかな」

「かまわんよ。勉強会が終わったので、雑談をしていたところだ。君の意見なんかも、是非聞きたいね」

「何の話だ？　また、理系オンチの俺に恥をかかせようと思ってるんだろ」

「恥をかくことになるかどうかはわからんがね。これの話だ」そういって湯川は机の上に置いてあった新聞を草薙のほうに差し出した。一週間前の新聞だった。社会面を上にして折り畳んである。

「湘南海岸の爆発事件のことか」記事を見て、草薙はいった。

「あの事件について合理的な説明をつけようと、学生たち相手に知的なゲームを挑んでいたところさ」

　助教授の台詞に、ドアを開けてくれた若者を含めた四人の学生たちは、少し居心地悪そうにした。

「あれについては警視庁でも情報を集めてるよ。どこかのテロ組織が絡んでるかもしれないからな」

「テロの爆弾かもしれないというわけか？」

「その可能性も否定できないというわけさ。まあ、備えあれば憂えなしというやつだ」

「神奈川県警では、どんなふうに見ているのかね」

「さあ、何しろ東京と神奈川は仲が悪いからなあ」草薙は苦笑した。警察同士の話だった。「聞いたかぎりでは、あっちでも首を捻《ひね》ってるということだったけどね。何しろ現場に爆発物の痕跡が全くなかったらしい」

「海に流されちゃったんじゃないですか」学生の一人がいった。

「そうかもしれない」草薙は若者の意見に敢えて反論しなかった。内心では、もし何らかの爆弾であったなら、神奈川県警が痕跡を見落とすはずがないと思っていた。

「警察では、犯罪と見ているのかな」湯川が訊いた。

「一応、殺人の疑いもあると見て捜査をしているんじゃないかな。だって、あんなこと、自然現象じゃあ起こらないだろう？」

「だからそれを討論していたわけだよ」助教授は学生たちを見て、にやにやした。

「結論は出なかったがね」

その時チャイムが鳴りだした。学生たちが、揃って立ち上がった。講義に出るらしい。湯川はそのまま残っていた。

「彼等にしてみれば、ゴングに救われたというところだな」草薙は学生たちが座っていた椅子の一つに腰を下ろした。

「数式を並べて問題を解くことだけが科学じゃない。こういう時こそ、自分の知恵を結集させるチャンスなんだがね」湯川は立ち上がり、白衣の袖をまくった。「さてと、インスタントコーヒーでもいれてやろうか」

「俺は結構。すぐに行かなきゃならないところがある」

「なんだ、そうなのか。この近くかい」

「近くも近く、この建物の中だ」

「ほう」湯川は黒縁眼鏡の奥の目を丸くした。「どういうことだ」

「ここに、今朝の新聞はないのかい？　そんな一週間も前の古新聞じゃなくてさ」草薙は周りの机の上を見渡した。資料や図面などが乱雑に散らかっているが、今朝の新聞はなさそうだった。

「何か教材になるような事件が起きたのなら持ってきてるさ。で、何があったんだ」

「三鷹のアパートで他殺死体が見つかった」草薙は手帳を広げた。「二十五歳の男性で、名前は藤川雄一。元会社員。見つけたのはアパートを管理している不動産屋の主人で、死後三日ほど経過していた」

「それなら昨夜のニュースで見た。この暑さで、死体は早くも腐敗し始めていたそうだな。発見者に同情するよ」

「それでもエアコンはつけっぱなしになっていたんだ。たぶん、腐敗して臭いが漏れるのを少しでも防ごうというのが犯人の狙いだったんだろう。だけど最近の残暑は、犯人の予想以上だったというわけだ」

「全く暑い」湯川は唇を歪めた。「知的労働者にとって、暑さは大敵なんだがね。記憶は熱によって破壊される」

そんなに暑いなら白衣を脱げばいいだろうと草薙は思ったが、ここでは黙っていることにした。

「被害者の藤川雄一という名前に、聞き覚えはないかい?」草薙は湯川に尋ねた。

湯川は虚をつかれた顔をした。

「どうして僕が、そんな事件の被害者を知っているはずがあるんだ。それとも有名人なのかい?」

「いや、全くの無名人だよ。だけど、おまえなら知っている可能性はあると思ってさ」

「どうして?」

「この帝都大理工学部の出身なんだ。卒業は二年前だったかな」

「へえ、そうだったのか。ニュースじゃ、そこまではいってなかったな。学科は?」

「エネルギー工学科……となっているな」手帳を見て、草薙は答えた。

「エネ研か。それなら僕の講義を受けている可能性はある。でも、悪いが記憶にはない。つまり、ずば抜けて成績が良かったわけではなさそうだ」

「目立たず、人付き合いも悪いというのが、これまでに会った人たちの印象だ」

「なるほど。で、わざわざ被害者の母校を訪ねてくるからには、それなりの理由はあるんだろうな」そういって湯川は眼鏡の位置を直した。少し関心を示し始めた時に彼が見せる癖だった。

「それほど大きな理由でもないのかもしれないが」草薙は一枚の写真を上着のポケットから出し、湯川に見せた。「じつはこれが藤川の部屋から見つかっている」

「ふうん」湯川は写真を眺め、眉を寄せた。「この建物の横にある駐車場だな」

「おまえと付き合っているおかげで、俺もここへ来る機会が多くなっただろ？　それで、写真を見て、すぐにここの駐車場だとわかったんだ。これについては、ほかの捜査員から感謝されている。写真に写っている場所がどこなのかを調べるのは、結構大変なんだ」

「そうかもしれないな。写真の日付によると、撮影されたのは八月三十日か。二週間ほど前だな」

「つまり藤川は、その日にこの大学へ来たということだ。その目的を知りたくてな」

「何かのサークルに入っていて、ＯＢとしてやってきたとか」

草薙と湯川は学生時代、バドミントン部に所属していた。

「藤川の学生時代の仲間には連絡をとった。藤川はどこのサークルにも属していない」

「サークル活動でないとすると」湯川は腕組みをした。「会社の求人活動か。いや、それにしちゃあ遅すぎるな」

「遅すぎなくても、それは絶対に違う」草薙は断言した。

「どうして？」

「さっきいっただろう？　元会社員って。藤川は七月いっぱいで会社を辞めているらしい」

「すると今は無職か。じゃあ、再就職の口でも世話してもらいに、やってきたのかな」そういってから湯川は首を捻り、写真を草薙に返した。「しかし何のために駐車場の写真なんかを撮る必要があったんだ？」

「それを訊きたいのはこっちだよ」草薙は写真を見ていった。二十台ほど停められる屋外駐車場に、数台の車が並んでいるだけの、何の変哲もなさそうに見える写真だった。

藤川雄一は学生時代、エネルギー工学科第五研究室に所属していたはずだった。そのことを草薙がいうと、そこの松田という助手ならよく知っていると湯川はいった。

「松田は元来、物理学科の出身なんだ。僕と同期だよ」第五研究室への廊下を歩きながら湯川はいった。

「そこは何を研究しているところなんだ」と草薙は訊いた。

「第五研究室自体は、熱交換システムを主な研究テーマにしているんじゃなかったかな。松田は熱学が専門だったはずだ」

「熱学？」

「早い話が熱や物体の熱的性質を研究する学問だ。巨視的観点からアプローチするのが熱力学、原子や分子といった微視的な立場から研究しようとすれば統計力学ということになる。まあ、双方を切り離して考える必要はないんだがね」

「ふうん」

訊かなきゃよかったなと草薙は思った。

第五研究室の前まで来ると、「ちょっとここで待っててくれ」といって、湯川はノックもせずにドアを開けて中に入っていった。そして一分ほどしてから、再びドアを開けて顔を覗かせた。

「話がついた。インタビューに答えてくれるそうだ」

それはどうも、といって草薙は足を踏み入れた。

中は実験室を兼ねた部屋だった。草薙には何が何やらさっぱりわからない計測器や装置が、乱雑に置かれていた。

窓際の机の前に、痩せた男が一人立っていた。半袖シャツのボタンを、胸のあたりまで外している。たしかにこの部屋は暑かった。

湯川がそれぞれを紹介した。痩せた男の名前は松田武久といった。

折り畳み式のパイプ椅子があったので、草薙は湯川と並んで座った。

「湯川に刑事の知り合いがいるとは思わなかったな」草薙の名刺を見て、松田はいった。抑揚のない話し方をする男だった。彼は草薙がハンカチを取り出すのを見て、薄く笑った。「すみません。暑いでしょう？　たった今まで実験をしていたので」

「いやあ……」

どういう実験かと訊こうとし、草薙は思いとどまった。聞いたところで理解できるはずもなかった。

「藤川君のことだそうですね」松田のほうから切り出してきた。時間を無駄にしたくないらしい。

「松田さんは事件のことを御存じでしたか」

草薙の質問に、痩せた顔の助手は頷いた。

「私は、昨日のニュースを見た時には気づかなかったのですが、今朝卒業生の一人がわざわざ電話をくれましてね。それで思い出したというわけです」それから松田は湯川のほうを向いた。「ヨコモリさんとも、さっきその話をしていたんだ」

「そうか。僕は彼から教えられるまで、あの事件の被害者がうちの卒業生とは知らなかった」湯川が草薙を指していった。「ヨコモリさんも驚いていただろうな」

「うん。卒業研究だけじゃなく、就職のほうでも関わっていたからな」

「ええと」草薙が割って入った。「ヨコモリさんというのは？」

「うちの教授です」松田が答えた。彼によると藤川雄一らが四年生だった時、就職担当教官となったのが、第五研究室の横森教授だということだった。

「最近藤川さんとお会いになりましたか」草薙は松田に訊いた。

「先月訪ねてきました」

やはりそうかと草薙は思った。

「いつ頃ですか」

「半ば頃だったと思います。お盆に入ってたんじゃなかったかな」

「半ば頃？　どういった用件で？」

「特に用があったようには思えませんでしたよ。ふらりと遊びに来たという感じでした。卒業生が来ることは珍しくないので、あまり気に留めなかったのですが」

「どんな話をされましたか」

「どうだったかな」松田はちょっと考えこんでから改めて顔を上げた。「そうだ、会社の話をしていました。彼、会社を辞めたんだそうです」

「存じています。ニシナ・エンジニアリングという会社ですよね」

「小さいけど、決して悪い会社ではないと思いますよ」そういってから松田は湯川を見た。「横森さんは、そのことでちょっと気にしている様子だった」

「なるほど」湯川は頷いた。

「どういうことだ」

「後で教えてやるよ」といって湯川は片目をつぶった。

小さくため息をつき、草薙は松田に目を戻した。

「会社を辞めたことについて、藤川さんはどんなふうにいっておられましたか」

「詳しいことはいいませんでした。こちらからも訊きにくかったですし。でも、また一から出直すというようなことをいってましたから、とりあえずは安心していたんです。何か困ったことがあったら相談に乗るといっておきました」

しかし具体的に再就職先を世話してほしいというような話は、その日は出なかったし、その後も藤川から連絡はなかったと松田は付け加えた。

「するとそれ以後、藤川さんは、こちらにはいらしてないんですね」

「はい」

「おかしいな」といったのは湯川だ。「先月末にも来ているはずだが」

「いや、俺は会ってないよ」と松田はいった。

草薙は例の写真を差し出した。松田は写真を見て、怪訝《けげん》そうな顔をした。

「ここの駐車場ですね。この写真が何か」

「藤川さんの部屋から見つかったんですよ。日付が八月三十日になっているでしょう？」

「本当ですね」松田は首を捻った。「何のために、こんな写真を撮ったのかな」

「この大学内で、ほかに藤川さんが立ち寄りそうなところとしては、どこが考えられますか」

「さあ、彼はサークルにも入ってなかったと思うし、ちょっとわかりません。留年組や大学院生の中に、もしかしたら知り合いがいるかもしれませんが、私は知りません」

「そうですか」草薙は再び写真をしまった。「ええと、横森教授は、今日はいらっしゃるわけですか」

「午前中はいましたが、午後から出かけました。今日はたぶん戻ってこないと思います」

「じゃあ出直すしかないですね」草薙は湯川に目配せした。それで湯川は腰を上げた。

「お役に立てなくてすみません」松田が謝ってきた。

「最後にもう一つだけ。今度の事件について、何か心当たりはありませんか。どんな小さなことでもいいんですが」

草薙の質問に対して、松田は彼なりに一所懸命考えてくれているようだった。しかし結局頭を振った。

「おとなしくて、真面目な学生だったんです。人から恨まれるようなことはなかったと思います。また、彼を殺して得する人間もいないと思うのですが」

草薙は頷き、礼をいって立ち上がった。その時、そばのゴミ箱の中に目がいった。そこには新聞紙が捨てられていた。彼はそれを拾い上げていた。

「へえ、面白いものですね。やっぱり、先生もこの記事に興味がありますか」草薙は新聞を松田のほうに見せた。そこには例の湘南での爆発事件のことが載っていた。

「それは横森さんが持ってきたものです」松田はいった。「でも、不思議な事件ですね」

「君はあの事件をどう見る?」湯川が訊いた。

「いや、さっぱり見当がつかない。爆薬のことなら化学屋さんの領分だ」

「あれが、うちの管内で起きたことじゃなくて助かりましたよ」草薙は笑い、新聞をゴミ箱に戻した。


「ニシナ・エンジニアリングというのは、主に配管設備を受注生産している会社だ。といってもふつうの水道管や下水管を想像しないほうがいい。あそこが扱っているのは、火力発電所や原子力発電所の熱交換機まわりの巨大な配管設備だ。で、横森教授は、あの会社の技術顧問に名を連ねている。だから、入社したいという学生がいれば、電話一本で話をつけられるんじゃないかな」第五研究室を出ると、階段を下りながら湯川はいった。

「すると藤川も、教授の世話で入社したわけだ」

「それは大いに考えられるところだが、逆の可能性もある」

「というと？」

「ニシナ・エンジニアリングのほうから教授に、優秀な学生を回してほしいと頼んだ可能性もあるんじゃないか。知名度の低い会社は、就職難といわれる時代でも、なかなか良い学生が集まらないからな」

「教授の推薦なら文句のないところだな。だけど、肝心なのは本人の意思だろう？」

「そこが情けないところでね、四年生とはいっても、まだまだ中身は子供なんだ。自分はどういう会社に進むべきか、どんな仕事をしたいのか、具体化できる学生のほうが少ないといえるだろうな。だから教授から強引に勧められれば、ふらふらといいなりになってしまう者もいるんじゃないか。藤川がそうだったかどうかはわからんがね」

「入社して二年で辞めてしまった理由というのも、そこにあるかもしれないわけだ」

二人は建物を出て、駐車場に回った。ほぼ正方形をしていて、周りは金網で囲まれている。しかし出入りは自由のようだ。現在は十三台の車が停まっていた。

「学生は基本的に停められない。そんなものを認めたら満杯になってしまうからな。全く最近の学生は贅沢《ぜいたく》だよ」と湯川はいった。

草薙は写真と実物を見比べながら場所を移動した。どうやら藤川は、道を挟んだ反対側の建物から撮影したようだった。

「先生、何をしてるんですか」一人の若者が湯川に近づきながら訊いた。髪を伸ばし、後ろで縛っている。「車に悪戯《いたずら》でもされたんですか」

「僕は車を持ってないよ。それで今度買おうと思ってね、どういうのがいいか、駐車場を眺めながら考えていたところさ」

「木島先生や横森先生に対抗して、ですか」

「ああそうか。あのお二人は、最近新車に買い換えたんだったな。どの車だ?」停まっている車を見渡して湯川は訊いた。

「今はどっちも置いてないみたいですね」さっと見回してから学生はいった。「木島先生はビーエムで、横森先生はベンツですよ」

「聞いたかい? 教授連中の羽振りの良さを」湯川は大きく手を広げた。

草薙は写真を見た。数台停まっている車の中に、たしかにＢＭＷとベンツがあった。どちらにも新車の輝きがある。

彼は学生に写真を見せた。

「そうです。この二台が先生たちの新車です」学生は楽しそうにいってから、首を傾げた。「この写真、もしかしたら、あの時のものじゃないのかな」

「あの時って？」

「いつだったか、知らない男の人が、カメラでこのあたりを撮影していたんです。あれ、たしか先月の三十日だったような気がするな」

草薙は湯川と顔を見合わせた。それから急いで別の写真を取り出した。藤川雄一が写っているものだ。

「この人じゃなかったかい？」と草薙は訊いた。

学生は写真を見て、小さく首を縦に動かした。

「こんな感じの人だったと思います。絶対か、といわれたら自信がないけど」

「写真を撮る以外に、どういうことをしていた？」

「どうだったかな。よく見てなかったから、覚えてないなあ。でも、話しかけられたんですよ」

「えっ、君がかい？」

「はい。ああ、そういえばあの人も先生の車のことをいってたな」

「車のこと？」

「横森教授の車はどれですかって訊いてきたんですよ。だから俺、グレーのベンツですよって教えてやりました」

草薙は湯川を見た。若き物理学助教授は、顎を撫でながら、遠くに視線を向けた。

4

藤川雄一の部屋には本棚が二つあった。どちらもスチール製で、草薙の背丈ほどの高さがあった。そこにびっしりと専門書や科学雑誌が並べられていた。大学時代に使っていたと思われる本が殆どだが、高校時代の参考書や教科書まで残っているのには、草薙も驚かされた。大学の受験勉強用の問題集まである。奇麗に整理して並べてあるところを見ると、捨てそびれてこんなふうになってしまったのではなく、自分の勉強の歴史を残しておこうという意図から、わざと捨てずに置いてあるのだろう。

世の中には変わった人種もいるのだなあと、草薙は改めて思った。彼は大学の合格発表を見た翌日に、受験関連の書籍をすべて庭で焼いたという前科を持っていた。

「特に見当たりませんねえ」後輩の根岸刑事が、草薙の後ろでいった。彼は藤川の机の引き出しを調べていた。

「つまり再就職のあてはなかったということか」草薙は床の上に胡座《あぐら》をかき、本棚を見上げた。二人が探しているのは、会社のパンフレットや再就職者向けの雑誌だった。

ここで死体が見つかってから二日が経過している。今日の昼間、草薙は根岸と共に、二つの場所へ聞き込みに出かけた。一つ目はニシナ・エンジニアリングの川崎工場だった。そこが七月までの藤川の勤務地だ。

「突然辞めたいといってきたんですよ。相談も何もありません。いつの間に準備したのか、当社所定の退職願を持ってきて、『課長、判子を押してください』と、こうですよ」

丸顔の課長は、やや唇を尖《とが》らせていった。「理由ですか？　それはまあ本人にいわせると、自分には今の仕事は向いていない、ということらしいです。冗談じゃないって感じですよ。誰だって、やりたい仕事につけるわけじゃないんですからね。彼の仕事は設計です。ビルやなんかの空調設備のですよ。この四月に社内で大幅な入れ替えがありまして、そういうふうになったんです。彼の前の職場ですか。プラント開発というところですけど、基本的には仕事の内容は大して変わらなかったはずです。とにかく、我儘《わがまま》なんですよ。だから私も頭に来ちゃいましてね、そんなに辞めたいなら勝手にしろといってやったんです」

藤川と一番親しかったという同僚の話も、似たようなものだった。

「最初から、この会社のこと自体、あまり気に入ってなかったみたいでした。四月に職場が変わってから、特にそれが顕著になったようですね。やる気のないのが見え見えでしたから。どうしてかはわかりません」

草薙たちが次に会った相手は、帝都大学の横森教授だった。研究会のために新宿のホテルに出てきているということだったので、中にあるラウンジで会った。

「たしかに、藤川君にニシナ・エンジニアリングを勧めたのは私です」小柄で頭の禿げた教授は、少し甲高い声でいった。「しかし、強力に勧めたわけではありません。彼が卒業研究のテーマとして選んだ熱交換システムの研究に近い仕事が、あの会社ならできると助言しただけです」妙な疑いをかけられるのは心外だという感じで、教授は少し胸を張って見せた。

「先月の半ばに、藤川さんはおたくの研究室を訪ねてきたそうですが、その時はどういう話をされましたか」草薙は訊いた。

「大した話はしていません。せっかく入れてもらった会社を辞めてしまってすみません、というようなことを彼はいってました。そんなことはいいから、次の就職先を早く見つけなさいといっておきました」

「それだけですか」

「それだけです。いけませんか」横森は、明らかに気分を害していた。

最後に草薙は、藤川が駐車場の写真を撮っていたことや、横森の車を探していたことなどを話し、何か心当たりはないかと尋ねた。

心当たりは全くない、わけがわからない、というのが小柄な教授の答えだった。

これらの聞き込みの後、草薙たちは再び藤川の部屋にやってきたのだった。彼の退社の理由や、会社を辞めて何をやろうとしていたのかを探るためだった。

だがそのための手がかりは見つからなかった。

草薙はため息をつき、立ち上がった。そしてトイレに入り、小便をした。ユニットバスの上部に洗濯ロープが張られ、海水パンツが干されている。泳ぐことなんてあったのかなと、ぼんやり思った。

現場検証から、犯人は顔見知りだろうと考えられている。室内に争った形跡はなく、藤川は背後から後頭部を殴られている。おそらく油断していたのだろうというのが、大方の意見だった。凶器は現場に転がっていた四キログラムの鉄アレイで、藤川の所持品であることは確認済みだ。つまり犯人は、何らかの理由で、衝動的に犯行に及んだものと推察できる。

しかし犯行は衝動的でも、後の処置に関しては犯人はなかなかに冷静だった。あちこちの指紋が拭き取られていたし、髪の毛が落ちたことをおそれたか、床も掃除されていた。そして死体の発見がなるべく遅くなるよう、腐敗防止のためにエアコンまで利かせていった。それが結果的に死体発見を早めることになってしまったのだから、皮肉ではあるが。

小便を終え、手を洗っている時だった。足元に小さな紙片が落ちているのが見えた。

草薙は腰を屈《かが》めてそれを拾った。喫茶店のレシートだと知り、彼はがっかりした。事件解決には結びつきそうにないと思ったからだ。日付も、事件よりずいぶん前のものだった。

だが洗面台の上に置こうとし、彼は手を止めた。そのレシートに印刷してある喫茶店の住所が引っかかったのだ。

湘南海岸の近くだった。草薙は親戚がいる関係で、あのあたりの地名に詳しかった。

そして日付は――。

間違いなかった。あの爆発事件の起きた日だった。

5

客が入ってきた気配はあったが、長江秀樹はスポーツ新聞から顔を上げなかった。どうせ冷やかしだろうと思った。金目のものを売っているわけではないから、万引きのこともさほど心配する必要はない。仮に万引きされたって、自分の懐が痛むわけではない。店の主人から、少しばかり嫌味を言われる程度だ。

『ウェーブ』は小さな土産物店だ。安物のサングラスとか、ビーチボールやビーチサンダルなども売っている。ついこの間までは、大勢の若い男女が無邪気な顔で店内をうろつき回っていたものだった。

それがこのところは全くの閑古鳥だ。海水浴シーズンが終わってしまったから当然ともいえるが、「それでもいつもより十日は早い」と店主はぼやいている。実際長江の経験でも、例年なら今の時期でも、道路の向こうに見えるビーチに、ちらほらと海水浴客の姿があったものだった。それが今年は、閑散としている。

原因は明白だった。先日の爆発事件が響いているのだ。突然火柱が上がって海水浴を楽しんでいた女性が爆死、しかも原因不明では、海に入ろうとする人間がいることのほうが不思議だ。長江にしても、あれ以来ビーチには近づかないようにしている。何しろ、地雷が埋まっているという噂さえ流れているのだ。

今年はもうだめだろうなと店主はいう。長江も同感だった。

彼がスポーツ新聞のページをめくった時、すぐ前に誰かが立ち、レジ用テーブルの上に何かを置いた。見ると、小さなキーホルダーだった。この店の商品だ。

「いらっしゃいませ」長江は新聞を置き、あわててレジスターに料金を打ち込んだ。キーホルダーは四百五十円だった。

「暇そうだね」と客は金を払いながらいった。

三十歳前後と思われる男だった。背が高く、サングラスをかけていた。アルマーニの開襟シャツを着ている。ふだんはあまり海に来る人種でないことは、顔が殆ど日焼けしていないことでわかった。

「そうですね」キーホルダーを袋に入れ、釣り銭と一緒に渡した。

「やっぱり爆発事件の影響かな」

「そうじゃないですか」長江は、ぶっきらぼうに答えた。またその話かと思った。

「この先の喫茶店で聞いてきたんだけど」客は親指で東のほうを指した。「あの時、君は近くにいたそうだね」

長江は顔を上げ、男の目を見ようとした。だがサングラスの色は濃く、その奥は見えなかった。したがって表情も、うまく読めない。

「お客さん、警察の人ですか」と長江は訊いた。あの事件のことでは、何度か質問を受けたのだった。

「いや、こういう者だよ」男は名刺を出した。

そこに印刷されている肩書きを見て、長江はちょっと驚いた。

「物理学の先生がこんなところへ来るとは思わなかった」

「少し話を聞かせてもらってもいいかな。時間はとらせないから」

「それはまあいいですけど、俺の話なんか聞いても参考にならないと思いますよ。警察の人なんかも、不思議そうな顔をしてただけだから」

「不思議なものを見たわけかい」

「そりゃあ、不思議は不思議ですよね。急にあんなところで爆発が起きるんだから」

「どういう感じの爆発だった？」

「なんていうのかな、突然海の中から、すごい勢いで火が出たんです。水しぶきが何十メートルも上がってね。何かが爆《は》ぜたっていう感じでした」

「爆ぜた？」

「で、その後が特に不思議だったんですよね。誰も信じてくれないんだけど」

「何があったんだい」

「細かい火の玉が、海面を滑りながら広がったんですよ。まるで生きてるみたいでした」

「海面を滑った……ふうん」男はサングラスの中央を指で少し押し上げた。「それは、火の粉が飛び散ったというのとは違うんだね」

「全然違います。だって、中にはくるくると方向を変えている火の玉だってあったんですから」

「色は？」

「えっ？」

「色だよ。何色だった？」

「ええと」長江は、あの時の情景を思い出した。「黄色……かな」

「なるほど」男は頷いた。長江の答えに満足しているように見えた。「黄色ねえ」

「目の錯覚じゃなかったかって、警察じゃいわれちゃったけど……」

「でも錯覚じゃなかったんだね」

「ええ」と長江は頷いた。「信じてもらわなくてもいいですけど」

「いや、信じるよ」男はキーホルダーの入った袋をポケットにしまった。「仕事中、悪かったね」

「もういいんですか」

「うん。充分だ」男は店を出ていった。

このことを後で仲間たちに教えてやろうと、長江は男の背中を見送りながら思った。東京から物理学者が訪ねてきたといったら、皆びっくりするに違いない――。

6

梅里尚彦の住所は、横浜市神奈川区となっていた。東急東横線の東白楽駅からは徒歩で約十分かかった。坂道の多い、住宅が密集した町並みの中に、目的のマンションはあった。レンガを模したタイル張りの建物だった。

入り口はオートロックになっていた。草薙は手帳を見て住所を確認し、503と番号

を押した。間もなくインターホンから、

「はい」と声が聞こえてきた。

「警察の者ですが、ちょっとお話を伺えませんか」草薙はマイクに向かっていった。

「また？」いかにもうんざりしたという声が返ってきた。神奈川県警から、何度も事情聴取を受けているに違いなかった。

「すみません、少しだけ」

草薙がいうと、何の返事もなく、すぐそばのドアのロックが外れた。舌打ちをしている男の顔が浮かんだ。

部屋の前まで行き、改めてチャイムを鳴らした。ドアが開いて、浅黒い顔が現れた。

「お休みのところ、すみません。会社に問い合わせたところ、今日は御自宅にいらっしゃるということでしたので」

「頭が痛いから休んだんですよ」梅里尚彦は、ぶっきらぼうにいった。Tシャツにスウェットという出で立ちだった。「もうお話しすることなんか、何もありませんけど」

草薙は警察手帳を見せた。

「私、東京の者なんですよ。別の事件との絡みで、ちょっとお尋ねしたいことが」

「別の事件？」梅里は眉を寄せた。

「ええ。もしかしたら、奥さんのことと関係があるかもしれないんです」

梅里の顔に微妙な変化が現れた。妻の不幸の原因が解明されるなら、少し付き合ってみるか、という表情になった。

「細かいことは、あっちの事件を担当している人に訊いてくださいよ。何度も同じことを話すのは面倒ですから」

「ええ、それはもう」

草薙が頷いていうと、梅里はドアを大きく開けてくれた。入れということらしい。

2LDKの部屋は新しいようだが、ソファを置いたリビングルームもキッチンも、乱雑に散らかっていた。しかし六畳の和室だけは片づいている。そこには小さな仏壇が置かれていた。線香から細い煙が立ち上っている。

草薙はソファに座った。梅里は、対面式キッチンカウンターの椅子に腰かけた。

「別の事件って、どういう事件なんですか」梅里が訊いてきた。

草薙は少し考えてから、「ある男性が変死体で見つかった、という事件です」と答えた。

「殺されたってこと？」

「断言はできませんが、たぶんそうだと思います」

「それが律子の事件とどういう関係があるの？　犯人が同じだとか？」

いやいや、と草薙は手を振った。

「はっきりしたことはまだ何もわかっていないんです。ただちょっと気になることがありまして」そういうと草薙は一枚の写真を差し出した。藤川の顔写真だ。「この男性に見覚えはありませんか」

梅里は写真を手にし、即座に首を振った。

「見たことない人だな。誰ですか」

「今回変死体で見つかった人で、名前を藤川雄一といいます。奥さんからでも聞いたことはありませんか」

「ふじかわ……聞いたことないなあ」

「あの日」といってから、草薙は一度唾を飲み込んだ。「奥さんが亡くなられた日、その人物もあの海岸に行っていたようなのです」

「ふうん……」梅里はもう一度写真を見た。

藤川の部屋から見つかったレシートから、その喫茶店の正確な場所を草薙は突き止めていた。思った通り、湘南海岸のすぐそばだった。

「だけど」と梅里はいった。「あそこにいたからって、関係があるとはいえないんじゃないかな。特にあの日は海水浴客が多かったし」

「しかし、単に偶然とはいえない点が一つありまして」

「何ですか」

「その藤川という人物、帝都大学の出身なんです。二年前に卒業しています」

「へえ」梅里の顔つきが、さらに少し引き締まって見えた。

「奥さんは去年まで帝都大にいらしたそうですね」草薙はいった。

神奈川県警に梅里律子の経歴を問い合わせて知ったことだった。その時に、彼の直感は確信に変わったのだった。二つの事件には繋がりがある、と。

「ええ。学生課の職員でした」梅里は頷いた。

「ということは、藤川雄一が在学中の四年間のどこかで、藤川と奥さんが接触した可能性があるわけです」

草薙の言葉に、梅里は顔を上げた。目が少しつり上がっていた。

「律子が、この男と出来ていたというんですか」

「いや、そういう意味ではありません」草薙はあわてて手を振った。「接触という言い方がいけませんでした。何らかの関わりがあったかもしれない、という表現に改めます」

「僕たちは去年結婚するまで、六年間交際を続けてきました。律子のことなら、誰よりもよく知っているつもりです。だけど彼女の口から、藤川なんていう名前が出たことは一度もありません。こんな男は知らない」そういって梅里は、草薙の前に写真を置いた。

「わかりました。では、奥さんの荷物や書簡類を整理なさっている時など、もし藤川という名前を見つけることがありましたら、ここへ御一報願えますか」草薙は写真をポケットに入れ、代わりに自分の名刺をテーブルに置いた。

「ラブレターを見つけるとか？」梅里が口元を曲げていった。

「それは何とも……」

「律子はね、帝都大の学生のことを嫌ってたんです。エリート意識が高く、図々しくて、うぬぼれ屋。そのくせ甘ったれで、何かトラブルがあると親に泣きつくことしかできない。身体は大きいが幼稚園児と何も変わらないって、いつもこぼしてました」

「その幼稚園児の中に、藤川もいたのかもしれません」

「そりゃ、そうかもしれませんけど」そういった後、梅里はいったん口を閉ざし、何事か考えこんだ。それから改めて顔を上げた。

「二点ばかり気になることがあるんです。こっちの警察には話したことですけど」

「何ですか」

「あの日海に向かう途中、律子が何度か僕にいったんです。ずっと後ろをついてくる車があるって」

「尾行されていたと？」

「わかりません。まさかそんなはずはないだろうと、僕は笑って聞き流していたんですけど……」

「あなた方が海に行くことは、いつお決めになったのですか」

「二日前だったと思います」

「海に行くことを、誰かに話しましたか」

「僕は特に誰にも話さなかったと思います。律子のほうはわかりません」

すると藤川は、ずっと梅里夫妻を見張っていたのだろうかと草薙は思った。尾行したのが藤川だとして、だが。

「気になることのもう一点というのは？」草薙は訊いた。

梅里は、少し逡巡を見せてから口を開いた。

「爆発の直前、律子のそばに寄っていった男がいたんです。若い男でしたけど」

「どんな男でしたか」草薙は手帳とボールペンを構えた。

「それが、相手は水中眼鏡をしていたし、何しろ距離があったから、よくわからなかったんです。ただ」梅里は唇を舐めて続けた。「さっきの写真の男性と、髪型の感じは似ていると思って……。あの時の男も、髪は短かったから」

草薙は写真を取り出し、もう一度眺めた。藤川雄一の濁った目が、じっと彼を見返してきた。

7

梅里尚彦と会った日の翌日、草薙は再び帝都大理工学部を訪れた。彼はこの大学の社会学部を出ていたが、今ではこの全く畑違いの学舎のほうに馴染みを感じるようになっていた。

建物の前まで来た時、例の駐車場のほうに目を向けて、彼は足を止めた。そこに湯川学の姿があったからだ。湯川は一台のベンツのそばで、立ったり、屈んだりしていた。

「おい」と草薙は声をかけた。

湯川は一瞬ぎくりとしたようだが、声の主を知って安堵した顔をした。

「なんだ、草薙か」

「つまらん相手で悪かったな。何してるんだ?」

「いや、大したことじゃない」湯川は立ち上がった。「横森教授の車を見ていたところだ」

「ああ、これがそうか」グレーの車体を見下ろして草薙は頷いた。「たしかに新車のようだな。ぴかぴかしてる」

「藤川が横森教授の車はどれかと訊いていたという話だったから、何か異状がないかたしかめてたところだ」

「なるほど」湯川のいいたいことを草薙は理解した。「爆発物が仕掛けられてるかもしれないというわけだ」

「いや、僕としては特に根拠があるわけじゃないんだが、君からあの話を聞いたんでね」

「藤川が例の爆発事件の犯人じゃないか、という話だな」

藤川雄一があの日湘南海岸に行っていたらしいことは、すでに湯川に話してあった。

「あれから進展はあったのかい？」と湯川は訊いた。

「昨日、被害者の旦那に会ってきた。やっぱり藤川が犯人の可能性は高いぜ」

草薙は梅里尚彦から訊きだしたことを、かいつまんで湯川に話した。

「問題は、被害者と藤川の関係だな」湯川はいった。

「そういうことだ。ところで、例の件については調べてくれたか」

「例の件？」

「忘れたのか。藤川の持っている技術で、ああいう爆発を起こせるかどうか、検討しておいてくれと頼んだじゃないか」

「ああ、そのことか」湯川は顎をこすり、遠くに視線を向けた。「すまん。いろいろと忙しくて、後回しになってしまった。これから検討する」

「そうか。悪いけど、頼むよ」いいながら草薙は、妙な違和感を覚えていた。この湯川が、相手の目を見ないでしゃべることは珍しかった。

湯川の横顔を眺めているうちに、彼はあることに気づいた。

「おまえ、少し日焼けしてないか。海にでも行ってきたみたいだぜ」

「えっ、そうか」湯川は自分の頬に手を当てた。「そんなはずはないんだけどな。光線の具合だろう」

「そうかなあ」

「海に行ってる暇なんかないよ。とにかく中に入ろう」

湯川が建物に向かって歩きだしたので、草薙もそれに続いた。

その時、背後でクラクションが鳴った。振り返ると、濃紺のＢＭＷが駐車場に入ってくるところだった。

湯川が笑顔で車に近づいていった。彼の見守る中、ＢＭＷは駐車を果たした。

運転席から小柄な初老の男が降りてきた。姿勢がいいので、体格のわりに堂々として見える。

「木島先生、国際会議はどうでした？」湯川が訊いた。

「まあ、いつもと似たりよったりだよ。久しぶりに、あっちの連中に会えたのはよかったがね」

「前夜祭と三日続けての会議じゃ、お疲れになったでしょう」

「まあねえ。あれはちょっと長すぎるな。もうちょっとスリムにする必要がある」

湯川と木島が歩きだしたので、草薙はその後に続いた。

「木島先生がいらっしゃらなかったので、エネ研の連中は少し寂しそうでしたよ」

「どうせ、羽根を伸ばしておったんだろうな。そのくせ、しょっちゅうホテルに電話をかけてくるんで、面倒でかなわなかった」

「何か急用でも？」

「いやあ、大した用なんか殆どないんだ。天気のことばかり尋ねてきて、慣れない土地だから、雨の日は運転は控えたほうがいいとかいってくる。まるで老人扱いだ。大きなお世話ってもんだよ」

「誰ですか、そんな電話をしてきたのは」

「若い奴だよ。困ったもんだ」それでも木島は上機嫌だった。

草薙は二人がエレベータを使うとばかり思ったが、どちらも何もいわず、階段を上がり始めた。木島の足どりは、推定年齢六十歳の外観に反して、じつにしっかりしていた。

途中で木島と別れ、湯川と草薙は物理学科第十三研究室に入った。

「理工学部のドンだよ」と湯川はいった。木島教授のことらしい。「量子力学の親分といわれたこともある。今では、エネルギー工学科のボスだけどね。ちょっと向学心のある学生なら、大抵はあの人の指導を受けたいと思うようになる」

「すごいもんだな」

「最も適切な表現は」湯川はいった。「理工学部の長嶋茂雄だ」

「なるほど」草薙は笑って頷いた。たしかによくわかる表現だった。「ずいぶん慕われてるんだなあと思ったよ。雨の日は運転を控えたほうがいいですよ、か」

「あれはちょっとひどいな。誰だろう、電話したのは」

「新車だから雨に濡らさないようにっていう、冷やかしの意味もあるんじゃないか」

「ああ、そうか」といって頷いた直後、湯川の表情が変わった。一点を見つめ、唇を嚙んでいる。

「どうした？」友人の尋常でない様子に、草薙は胸騒ぎを覚えた。

湯川が彼を見つめた。

「もしかすると……」そう呟くと、彼は白衣を翻《ひるがえ》して部屋を飛び出した。

「あっ、おい、何なんだ」草薙も後を追った。

湯川は廊下を走り、階段を駆け下りた。日頃バドミントンで鍛えているだけに、学者とは思えぬ敏捷さだった。草薙のほうが息が上がりそうだった。

湯川は建物を出ると、駐車場に向かった。そして先程木島が停めたＢＭＷのそばまで行って、ようやく足を止めた。

少し遅れて草薙も止まった。汗がどっと噴き出した。

「一体どうしたっていうんだ。説明しろよ」

だが湯川は、すぐには答えてくれなかった。彼は車の横にしゃがみこみ、車体の裏を覗き込んでいた。

やがて彼はため息をつき、小さくかぶりを振った。

「草薙、ちょっと頼みがあるんだが」

「なんだ？」

「木島教授を呼んできてもらいたい。今すぐだ」

「教授を？　何のために？」

「それは後で説明するよ。とにかく、一分一秒を争う話だ」

「わかった。教授の部屋は？」

「四階の東端だ。くれぐれも、誰にも見つからないように連れてきてほしい」

「誰にも？」

「そうだ」湯川は眉間に深い皺を刻んでいった。「事件を解決したいなら、僕のいうとおりにしてくれ」

8

翌日の午後、草薙はまたしても帝都大を訪れた。

前夜、彼は松田武久を逮捕していた。

松田は、成城にある木島文夫邸の駐車場に侵入し、逃げようとしたところを、見張っていた警察官に捕まったのだ。

その時松田が手にしていたのは、ビニールの袋に入れた金属の塊だった。大きさは、ちょうど掌に載る程度だった。逮捕された時、彼はそれを没収した警官にいった。

「それを絶対に水には近づけるな。一生後悔することになるぞ」

科学者としての良心が、そういわせたのだろう。

だがじつは松田の心配は無用だった。その金属の塊は、彼が思っているものとは違っていたからだ。彼が逮捕される二時間ほど前に、湯川学によってすり替えられていたのだ。

彼が木島邸の駐車場に忍び込んで盗み出したものは、ただの粘土に色を塗っただけのものだった。

「松田が藤川殺しを自供したよ」湯川の疲れた顔を見ながら草薙はいった。あまりいい気分ではなかった。「もうちょっと手こずるかもしれないと思ったけれど、木島さんの家で捕まった時点で観念していたようだ」

「抵抗したって無意味だと思ったんだろう」

「そうかもしれない。それはともかく、いろいろとわからないことがあるんだけどな。それで、おまえからも話を聞こうと思ってね」

「うん」

湯川は椅子から立ち上がると、こっちへ来いというように顎を動かした。それで草薙は後についていった。

机の上に菓子の缶が載っていた。その中に入っているのは水のようだ。

湯川は別の机の上から、油紙の包みを取り上げた。開くと、中には白い結晶のようなものが、耳かき一杯ほど入っていた。

「少し離れていてくれ」

湯川にいわれ、草薙は数歩下がった。

湯川は菓子の缶に近づくと、油紙の中身を素早く放り込んだ。そして自分も机から離れた。

反応は即座に起こった。缶の中から炎が出たと思うと、激しい音をたてて缶が跳ね上がったのだ。中に入っていた水も四方に飛び散った。そのうちの何滴かは、草薙のところへも飛んできた。

「すごいな」ハンカチを取り出しながら草薙はいった。

「なかなかの威力だろう。ほんのわずかな量で、これだからな」

「それが……」

「ナトリウムだ」と湯川はいった。「湘南の爆発の正体だよ」

「松田からも話を聞いたんだけど、今一つピンとこなかったんだよな」爆発のおさまった缶を、草薙はおそるおそる覗き込んだ。「これほどとは思わなかった。大体、ナトリウムっていわれても、よくわからんからなあ。水酸化ナトリウムとか、塩化ナトリウムっていうのなら、聞いたこともあるけど」

「ナトリウムは金属だ。だけど自然界では、単体金属の状態を取り続けることはできない。今君がいったような、何らかの化合物として存在している。今僕が水の中に入れたナトリウムにしても、空気に触れた部分は酸化していた」

「しかし金属が爆発するとはなあ」

「ナトリウム自体が爆発するんじゃない。今いったように、ナトリウムは反応性に富んでいる。特に水と反応すると、熱を発しながら水酸化ナトリウムになり、同時に水素を発生させる。その水素が空気と混合して爆発を起こすわけだ」

「マッチと火薬じゃなく、水とナトリウムというわけか」

「後に残るのは水酸化ナトリウムだけだ。だけどそれは簡単に水に溶けるから、湘南の海から爆発物の何の痕跡も発見されなかったのは当然といえる」

「だけど、さっきの実験によると、水に入れてすぐ爆発したじゃないか。犯人の藤川にしても、逃げる暇がなかったと思うんだけどな」

「いい質問だ。じつはナトリウムを使って爆発を起こそうとする時、ある仕掛けを施せば、一種のタイマー的な効果を得ることができる。しかも、これまた痕跡は残らない」

「どうやるんだ」

「金属ナトリウムの表面部分だけを、炭酸ナトリウムに変化させておくんだ。これは安定した物質だから、危険じゃない。ただし、これもまた水に溶けやすい」

「そうすると、どうなる?」

「水につけた直後は、炭酸ナトリウムがブロックしてくれているので、ナトリウムと水の反応は起こらない。だけど時間が経つにつれて、炭酸ナトリウムは溶けていく。やがて中のナトリウムが直接水に触れる時が来ると――」

「どかーん、というわけか」草薙は顔の前で掌を開いた。

「藤川は、そういう仕掛けを施したナトリウムを隠し持って、梅里律子さんに近づいたんだと思う。そうして、彼女のすぐそばに沈めたんだろう。あるいは、彼女はビーチマットに乗っていたという話だから、そのビーチマットに何らかの方法で取り付けたのかもしれない」

草薙は頷いた。理系オンチの彼でも、何となく理解できる話だった。犯人が死んでいるので、もはや真相を明確にすることはできなかったが。

「松田によると、ナトリウムが盗まれたのは、やはり八月の半ばに藤川が来た時だろうということだった」椅子に座りながら草薙はいった。

松田は、液体ナトリウムを使った熱交換システムの研究を行っていた。だからかつて同じ研究室にいた藤川としては、ナトリウムを盗み出すことは難しくなかったのだ。

「その時松田は、藤川とどんな話をしたんだろう」湯川は机の縁に腰掛け、宙を見つめながら呟いた。

「藤川は文句をいいに来た、というのが松田の話だよ。学生時代に横森教授の研究室に入ったことも、そのせいで松田の研究を手伝わされたことも、ニシナ・エンジニアリングなんていう会社に入らされてしまったことも、全部不本意だったとね。特にニシナで全く興味のない仕事をやらされることになったことが、それまでの鬱憤に火をつける結果になったのだろうと松田はいっていた」

湯川は、ゆらゆらと頭を振った。

「なんだか、根が深そうな話だな」

「深いぜ。じつをいうとさ、俺はまだ完全には把握しきれてないんだ」そういうと草薙は手帳を取り出して開いた。ナトリウムの仕掛けだけでなく、事件の背景についても、湯川のアドバイスが欲しかったのだ。

松田の話では、藤川は本来木島教授の研究室に進みたかったらしい。ところが、ある重要な単位を取得していなかったため、それがかなわなかった。その単位とは、木島教授の講義であり、三年生の段階で受講すべきものだった。

「藤川がその講義を受けられなかった理由は、ただ一つ。学生課に提出する受講プログラムに記入するのを忘れたからだ。藤川が気づいた時には、提出期限を過ぎていた。藤川はあわてて学生課に行き、訂正を希望したが――」

「認められなかったんだな」と湯川はいった。「うちの学生課が、そういう点で異様に厳しいことは、学生たちから聞いて知っている。僕自身も経験がある」

「その時藤川のことを冷たく突っぱねたのが、梅里律子だった」

「なるほど」湯川は大きく首肯した。

「そこで藤川は、木島教授に直接頼みに行ったらしい。どうか受講させてほしいってな。受講プログラムを提出し忘れたり、期限後に変更したい時なんかは、教授の許可がもらえれば認められるそうだな」

「うん。それで教授は？」

「許可しなかった」草薙はいった。「どういう理由かは松田にもわからないということだったが」

　すると湯川は小さく首を傾けた。

「僕には何となくその理由がわかるような気がするな」

「どういう理由なんだ」

「いや、それは後にしよう。で、藤川はどうしたんだ？」

「どうしたもこうしたもない。結局その大事な講義を受けられなかった。したがって念願の木島教授の研究室に入ることもできなかった。それで仕方なく、横森教授のほうへ進んだというわけだ」

「その結果、不本意な研究しかできず、不本意な会社にしか入れず、不本意な仕事しかできなくなった。何もかも、あの二人のせいだ、となってしまったわけか」

「そう、あの二人。梅里律子と木島教授」そういってから草薙は頭を掻きむしった。「しかし、殺そうと考えるか、ふつう？　一種のノイローゼにかかっていたようだというのが、松田の意見だけどさ」

「松田が？」湯川は目を見開いた。「藤川はノイローゼだったといったのか」

「ああ」

「ふうん……」湯川は天井を見上げた。何かを考えている顔だった。

「どうかしたか」

「いや」湯川は首を振った。「それで、藤川殺しについて、彼はどのようにいってるんだ」

「松田によると、湘南の事件を知った時に、爆発の状況と被害者の名前から、犯人は藤川に違いないと思ったらしい。その時実験室を調べてみて、ナトリウムの量が減っていることにも気づいたという話だった」

松田はすぐに三鷹にある藤川のアパートを訪ねていった。ことの真偽をたしかめるためだった。

藤川は否定しなかった。自分の犯行だと認めたらしい。それだけでなく、もう一人殺す計画があることまで打ち明けた。それが木島教授だった。

「ここから先、松田の話は、ちょっとわかりにくい」草薙は顔をしかめて続けた。「もうこれであんたたちも終わりだと藤川にいわれ、かっとして殺してしまったというんだが、なぜ終わりなのか、なぜ殺したくなるほど松田が逆上したのかが、今ひとつはっきりしない。このあたりの説明になると、松田の話はどうもあやふやになるんだ」

「そういうことか」湯川は腰を上げ、窓のそばに立った。

「何か心当たりがあるか」

「まあね。しかし、そう難しい話じゃない。どこにでもある話だ」

「聞かせてくれよ」草薙は彼のほうを向いて座り直した。

湯川は腕組みをして窓の前に立った。逆光で、彼の表情が見えにくくなった。

「エネルギー工学科の前身の話からしよう。あそこは以前、原子力工学科といった」

「あっ、そうなのか」そのほうがわかりやすい、と草薙は思った。

「名前を変えたのはイメージが悪くなったからだ。それに伴って、研究内容も少しずつ方向転換していくようになった。だけど中には、以前のままの研究テーマも残っている。松田のしていた研究なんかも、その一つだ。液体ナトリウムを使った熱交換の技術というのは、極論すればただ一つの用途しかない。何だか知ってるか」

「いや」俺が知るわけないだろう、と草薙はいいたかった。

「プルトニウムを燃やすための原子炉、いわゆる高速炉から熱を取り出す手段として使われる技術なんだ。何年か前、高速増殖炉のナトリウム漏れ事故というのがあったのを覚えてるだろう？」

ああ、と草薙は頷いた。「それなら覚えてるよ。そういえば、ナトリウムがどうとかいってたなあ」

「あの事故以後、国のプルトニウム利用計画は、大きな方向転換を求められることになった。その後相次いだ、関連機関による事故隠しなどの不祥事も、それに拍車をかけることになった。その流れは当然、各方面にも影響を及ぼすことになる。まず反応が速かったのが、関連企業だ」湯川は二、三歩移動し、本棚からパンフレットのようなものを抜き取った。「じつをいうと、ニシナ・エンジニアリングにいる知り合いに、それとなく問い合わせてみた。結果は、思った通りだった。あの会社はプルトニウム利用時代に備えて技術蓄積を行っていたんだが、今年になって、それに関する研究からはすべて手を引いた。どうやら藤川も、その流れで配置転換されたらしい」

「そうだったのか。それなら、藤川がノイローゼになったのも、少し理解できるな」

多少は不本意ながらも自分の専門知識を生かした研究に取り組んでいたところ、それさえも取り上げられて、人生の方向を見失ってしまったのかもしれないと草薙は想像した。

「企業の次に原発見直しの影響を受けたのが研究者だ」湯川は続けた。「事実松田のやっていた研究なども、予算見直しの対象になっていた」

「なるほど……」

「松田はおそらく、戦々恐々としていたことだろう。もし大学としての研究テーマから除外されるようなことになれば、これまでの苦労が水の泡になる。当然、昇進も遅れるだろう」

湯川の話を聞き、松田がまだ助手だったことを草薙は思い出した。

「卒業生の藤川が殺人を犯したとなれば、決定的ということか……」

「それよりも松田が気にしたのは、殺害方法にナトリウムが使われたことだろう。ただでさえナトリウムは危険だというイメージがある。しかも大学の研究室から盗まれたものだとなれば……」

「決定的か」草薙は吐息をついた。

「藤川を殺して解決する問題でないということは、松田にだってわかっていたんじゃないか。だけど、とにかく目の前にいる男を何とかしなきゃならないと思ったんだろうな」それから湯川は小さくかぶりを振った。「彼は藤川のことをノイローゼだといったそうだが、彼自身もそうだったんじゃないのかな」

「それはいえてる」草薙は同意した。「松田は、雨が降るのを恐れてたそうだよ」

「彼はやはり、最初はどこにナトリウムを仕掛けてあるのか知らなかったのか」

湯川の問いに草薙は頷いた。

「例の駐車場の写真を見て、木島教授の車に仕掛けてあると気づいたんだそうだ。ところがその時すでに教授は、国際会議のため大阪に行っていた。雨が降ればナトリウムが爆発、じゃなくて水素が爆発か、とにかく大変なことになると思って、気が気でなかったらしい」

「その彼の良心がなければ、僕は未だに木島先生が狙われていたことに気づかなかっただろうな」湯川は窓の外に目を向けた。

「駐車場の写真などから、藤川は何らかの理由で横森先生の車を狙っているのだろうと思っていた。だけどそうじゃなかった。学生に、横森先生の車はどれかと訊いたのは、二台ある新車のうち、どちらが木島先生の車なのかを知るためだったんだな。そこで木島先生の名前を直接出したら、後で爆破が起きた時に、思い出されると考えたんだろう」

ナトリウムは、BMWの車体の内側に、瞬間接着剤を使って貼り付けてあった。それを湯川は偽物とすり替え、わざと松田に回収させるよう罠を仕掛けたのだ。

「一つ教えてほしいんだけどな」物理学者の横顔に向かって草薙はいった。「おまえはいつから松田が怪しいと思ってたんだ？」

この質問は、湯川の胸の何かを刺激したようだった。彼は顔を歪めた。

「藤川が湘南の事件に関わっているかもしれないと君から聞かされた時かな。ナトリウムが使われた可能性があることには、その少し前から気づいていたからね」

「だけどおまえは、それを俺に話してくれなかったよな。どうしてだ？」

「さあ」湯川は首を傾げた。「どうしてかな」

まさか庇《かば》うつもりだったのか――そういいかけた時、ドアをノックする音がした。どうぞ、と湯川が返事した。

入ってきたのは木島教授だった。草薙は思わず立ち上がっていた。

「やあ、この間はどうも」教授は草薙を見て頰を緩めた。

「こちらこそ」と草薙は頭を下げた。松田を罠にかけるため、車を成城の自宅に戻しておくなど、木島にはいろいろと協力してもらったのだ。

木島は事務的な会話を湯川と交わすと、部屋を出ていこうとした。それを草薙が、「先生」と呼び止めた。

振り向いた木島に、彼は訊いた。

「先生は、なぜ藤川の受講をお認めにならなかったのですか」

すると老教授は、彼の顔を見返して、にっこり笑った。

「あなた、何かスポーツをしますか」

「柔道を……」

「それならわかるでしょう」と木島はいった。「いかなる理由があるにせよ、エントリーを忘れるような選手は試合に出るべきではない。また、そんな選手が勝てるはずもない。学問も、やはり戦いなんです。誰にも甘えてはいけない」

それだけいうと、もう一度笑って教授は部屋を出ていった。

草薙は突っ立ったまま、首だけを湯川のほうに向けた。

湯川はかすかに笑い、窓から空を眺めた。

「雨だ」と彼はいった。

第五章　離脱る

ぬける

1

エアコンは最悪のタイミングで故障した。梅雨明けから、すでに一週間以上が経っている。このところ連日、午前中に三十度を越している。今日もそうだ。そしてこれから、まだまだ気温は上がりそうだった。

上村宏は左手に団扇《うちわ》を持ち、キーボードを少し叩いては顔を扇《あお》ぎ、傍らに置いた薄汚れたタオルで首筋の汗をぬぐった。窓を全開しているが、風は殆ど入ってこなかった。いつもはさほど気にならないパソコンの発する熱が、今日はいまいましかった。

ダイニングへ行くか、と団扇を振りながら上村は考えた。エアコンは、仕事場を兼ねているこの洋室のほかに、寝室として使っている六畳の和室にも付けてある。その和室の襖《ふすま》を開け放てば、ダイニングキッチンもそこそこ涼しくなるのだ。

だがやっぱりそれはできないな、と彼は思い直した。現在和室では、息子の忠広が寝ている。しかもふつうの状態ではなかった。

生まれつき病弱な忠広は、小学校の二年になった今も一度風邪をひくとなかなか治らない。今回も、頭が痛いといいだしたのは四日前だが、その後も熱は上がるばかりで、少しも快方に向かってくれなかった。薬でいったんはよくなるのだが、夜になるとまたぶり返すという状態だった。昨夜も三十九度近い熱が出て、上村はその看病のために仕事ができなかったのだ。

上村はフリーライターだった。現在は四つの出版社と契約しており、主に週刊誌向けの記事を書いていた。そのうちの一つの締切が、目前に迫っている。携帯電話を使った新しい遊び方について取材したものを、夕方までにまとめねばならないのだ。それさえなければ、今も息子のそばについているところだった。

部屋を冷やしすぎるのはよくないが、暑さで眠れないようでは体力が余計に消耗してしまう。忠広には、適度に冷房のきいた部屋で、静かに眠らせてやりたかった。

上村は机の上の時計を見た。午後二時を少し回ったところだった。約束の時刻まで、あと三時間ある。いつもなら、さほど厳しくはない。しかし、この蒸し風呂のような部屋で集中力を保つというのは、至難の業《わざ》といってよかった。窓の外から聞こえてくる騒音も、よりによって今日にかぎって大きいようだった。

タオルを首にかけ、両手をキーボードの上に置いた時だった。玄関のチャイムが鳴らされた。上村はげんなりした顔をして立ち上がり、戸棚の引き出しから財布を取り出した。どうせ何かの集金だろうと思ったのだ。

だがドアを開けてみると、そこに立っていたのは近所に住む竹田幸恵だった。幸恵は忠広のクラスメートである竹田亮太の母親だ。

「やあ、どうしたんですか」父母会の案内でも来てたかなと思いながら上村は訊いた。

「どうしたじゃないでしょ。忠広ちゃん、また風邪だっていうじゃない」

「ああ」上村は頷いた。「まあ、例によって、というやつです」

「何、のんびりしたこといってるのよ。ちゃんと看病してる？　仕事が忙しくて、ほったらかしにしてあるんじゃないでしょうね」

「ほったらかしというか、とりあえず寝かせてますけど」

「ちょっとどいて」幸恵はサンダルを脱ぎ、スーパーの袋を提げたまま部屋に上がり込んできた。「なによ、これ。どうしてこんなに暑いの？　エアコンつけてないの？」

「壊れてるんです。でも、忠広の部屋のは大丈夫です」

上村の話を最後まで聞かず、幸恵は和室の襖を開けた。

「忠広君、大丈夫？　気分はどう？」と声をかけているのが聞こえてきた。忠広は目を覚ましていたようだ。

上村も和室に入っていった。エアコンの冷気が心地よい。ほっとしながら部屋の奥を見た。忠広は布団の上で寝ていた。

「大丈夫か？」と彼は息子に尋ねた。

忠広は小さく頷《うなず》いた。その顔色は、昨日までよりは少しよくなったように見えた。

「おなかすいてない？　おばちゃんが何か作ったげようか」布団の横に腰を下ろし、幸恵は訊いた。

「喉かわいちゃった」と忠広はいった。

「じゃあ、リンゴでもすったげようね。おばちゃん、買ってきてあげたから」そういって彼女は立ち上がりかけたが、「あら、これは何？」といって、布団のそばからスケッチブックを取り上げた。

スケッチブックは、寝込むことの多い忠広が退屈しないよう、上村が買い与えたものだった。色鉛筆も常に枕元に置いてある。

幸恵が見ている頁には、灰色の壁のようなものが描かれていた。中央に赤く四角いものがある。絵の得意な忠広にしては、何を描いたのかはっきりしなかった。

「何、これ？」と幸恵がもう一度訊いた。

忠広は首を振ってから答えた。「わからない」

「えっ、どうして？　だって、忠広君が描いたんでしょ？」

「僕が描いたんだよ。でも、わかんないんだ」

「えっ、どういうこと?」幸恵はもう一度尋ねてから、上村のほうを振り返った。

「さっきね、僕が寝ていたら、急に身体が浮くみたいな感じがして」忠広は上村と幸恵の顔を交互に見ながら続けた。「窓の外を見たら、こんなふうに見えたんだ。何だか、高いところに上ったみたいだった」

「何だって?」

上村は幸恵の手からスケッチブックを奪い、その絵を凝視した。それから窓の外に目を移した。

この部屋はアパートの二階にある。そして窓のすぐ正面には、カマボコ形をした食品工場の大扉が見えるだけだった。

2

死体の見つかったきっかけを聞いて、草薙は現場に駆け付ける気が失せた。もちろんそれは同僚の刑事たちにしても同じことのようだった。誰もが、犯人も少しは考えたらどうだ、という顔をしていた。

現場は杉並区内にある六階建てマンションの一室だった。独身者向けの賃貸マンションで、最上階に2LDKの部屋がある以外は、すべてワンルームか1DKだということだった。死体の見つかった五〇三号室は、ドアを開けるとまず狭い廊下があり、その奥にダイニングキッチンと洋室が並んでいるという間取りをしていた。

死体は、その狭い廊下で倒れていた。黒いTシャツに、コットンのミニスカートという出で立ちで、化粧はしていないようだった。うつぶせの状態で、頭を玄関のほうに向けていた。その格好を見て捜査員の一人は、去っていく男にすがりつこうとして、殺されたんじゃないかといった。無論推理といえるほどのものではないだろうが、そういわれてみると、たしかに草薙にもそんなふうに見えた。

死体の身元はすぐに判明した。部屋にあったハンドバッグの中に、運転免許証が入っていて、どうやらその写真の人物と同一らしいと判断されたからだった。長塚多恵子というのが死体の名前だった。この部屋の住人であることは、すぐに確認がとれた。生年月日によると、先月二十八歳になったばかりのはずだった。

最初に異変に気づいたのは、隣に住むＯＬだった。彼女はほぼ毎日五〇三号室の前を通るのだが、昨夜帰ってきた時に、嫌な臭いがすると思った。だが五〇三号室の住人が女性であることを知っていた彼女は、一時的なことだろうと思い、そのまま自分の部屋に入った。ところが翌朝、つまり今朝になってみると、その臭いはますます強くなっているようだった。そこで彼女は、会社に行く途中、携帯電話でマンションの管理会社に電話して事情を話した。このマンションは管理人が常駐していないからである。

連絡を受けた管理会社からは、午後になって管理担当者がやってきた。来る前に一度、彼は五〇三号室に電話をかけているが、長塚多恵子は部屋にいないらしく、留守番電話に切り替わってしまうのだった。

旅行に出たか何かで長期留守にしており、その間に生ゴミが腐りだしたのだろう、と管理担当者は推測した。夏場にはよくあることだった。それで彼は部屋の合鍵のほかに、ゴミ袋とマスクを用意していた。これまでの経験から来る知恵だった。

結果的に合鍵とゴミ袋は必要なかった。五〇三号室のドアには鍵がかかっていなかったからだ。そして腐臭を発していたのは、生ゴミではなかった。

だが彼がマスクをつけてドアを開けたのは正解だった。もしつけていなかったならば、すぐその場で嘔吐し、後の捜査に支障をきたしていたに違いないからだ。管理担当者が胃袋の中のものを吐き出したのは、非常階段まで移動してからだった。

そんな状況だったから、いくら死体を見慣れているとはいえ、捜査一課の刑事たちにとっても、検視は苦痛以外の何物でもなかった。草薙はなるべく死体に近づかないで済むよう、専ら奥の部屋を調べた。それでもいつまでも腐臭が鼻につき、時折嘔気《はきけ》を催した。

死体の首には扼殺《やくさつ》の痕が残っていた。ほかに外傷らしきものはない。室内で争った形跡も、調べたかぎりではなかった。

「やっぱり、男だよ」白い手袋をはめ、部屋のゴミ箱を調べている刑事がいった。「男は別れるつもりでここへ来たんだ。だけど女は別れたくない。あなた行かないで、と泣きつく。男はそんな女が鬱陶《うっとう》しくなる。男には女房がいるからな。子供だっている。もともと遊びで始めた不倫だ。女に泣きつかれても迷惑なだけさ。うるさいな、君とはもう終わりだ、とか何とかいう。すると女だって、いつまでも泣いてるだけじゃない。ふん、そんなに行きたいなら、行けばいいわ。あの鬼婆みたいな奥さんのところへ帰ればいいでしょ。でも覚悟しときなさいよ。あたしとのこと、全部ばらしてやるから。奥さんにだって、会社にだって。それで男は焦る。おい、待てよ。それだけはやめてくれ。知らないわよ。するといったらするんだから。女のヒステリーはピークに達する。きいってな具合にな。今にもどこかに電話しそうな勢いさ。そこで男はかっとなって、女の首を絞める。どうせそんなところさ」

草薙よりも一つ年上の、この弓削《ゆげ》という刑事は、こんなふうに早口で思いつきをしゃべるのが癖だった。それが仲間たちの楽しみでもある。無駄口を嫌う上司の間宮にしても、苦笑しながら聞いている。

それに彼のいうことは全く無意味でもなかった。独り暮らしの女性が殺された場合、異性関係を真っ先に調べるのが捜査の常道だからだ。草薙にしても、特定の男性がいたのではないかという目で、書簡類を調べている。

その草薙の手が止まった。一枚の名刺を状差しから見つけだしたからだ。保険会社の外交員のもので、栗田信彦とある。だが何より草薙の目を引いたのは、名刺の空欄に書き込んである、『二十二日にまた伺います』という文字だった。

「係長」と間宮を呼んで、その名刺を見せた。

ずんぐりした体形の間宮は、太く短い指で名刺を摘《つま》んだ。

「ふうん、保険の外交員か。二十二日に……か」

「あのホトケさん、二十二日ぐらいに死んだんじゃないですか」草薙はいった。今日は二十五日だった。

「話を聞いてみる必要はありそうだな」といって、間宮は名刺を草薙に返した。

草薙が弓削と共に、栗田信彦の職場を訪ねたのは、死体が見つかってから二日目の夕方だった。すぐに会いに来なかったのには理由がある。栗田が名刺に書いた二十二日という日付は、その後の調べで重要な意味を持つことが判明したからだ。

まず二十二日の午前中、殺された長塚多恵子は、近くに住む妹と喫茶店で会っていた。近々定年退職をする父親に何をプレゼントするか、相談するためだった。予想外の出費だとかいいながらも楽しそうだったと、妹は涙をこぼしながら話した。

その時姉妹は、フルーツあんみつを食べた。双方の好物だったから間違いないと妹は断言している。

そのあんみつに入っていたと思われる小豆《あずき》等が、司法解剖の際に長塚多恵子の胃袋から見つかった。それらの消化状態から、彼女が死んだのは、妹と別れた午後一時頃から三時間は経っていないと思われた。つまり、二十二日の午後一時から四時までが、犯行推定時刻ということになる。

妹と喫茶店で別れる前に長塚多恵子は、「もうすぐ人が来るから」といっているらしい。それは栗田信彦のことではなかったか。

また長塚多恵子の会社の同僚が、興味深いことを述べている。多恵子は栗田信彦と、上司の紹介で見合いをして知り合ったというのだ。ところが多恵子のほうにその気がなく、とりあえずその話はご破算になった。だがその時の縁で多恵子は、栗田のところの保険に加入したというのだ。栗田も、かなりいろいろと便宜を計っていたらしい。

栗田は多恵子のことが諦めきれず、何とか繋がりを保ち続けたかったのではないか、というのが、その同僚の推理だった。

栗田の勤める営業所は、九段下の駅のそばにあった。中に入っていくとカウンターがあり、若い女性社員がにこやかに挨拶してきた。弓削は、警察だとは名乗らず、ちょっと相談したいことがあるので栗田さんに会いたいといった。女性社員は全く疑わず、少々お待ちくださいといって奥に下がった。

数分後、スーツをきっちりと着こなした小柄な男が、営業用の愛想笑いを浮かべて現れた。髪は七三に固め、眉までも手入れしているようだった。つるりとした肌を見て、草薙は何となく風呂上がりを連想した。

「ええと、わたくしが栗田ですが」草薙たちを交互に見ながら栗田はいった。その目に客を値踏みする色があるのを草薙は見逃さなかった。顔では笑っていながらも、栗田は明らかに警戒していた。

弓削が笑いながら、立ったままカウンター越しに顔を近づけていった。「警察の者なんですよ。ちょっとあなたに伺いたいことが」

根が小心なのだろう。この一言で栗田は顔を白くした。

いったん営業所を出て、近所の喫茶店に入った。弓削が事件のことを話すと、栗田はびくりと身体を痙攣させた。全く知らなかったといい、詳しい事情を知りたがった。その目は充血していた。演技ならば大したものだと、草薙は思った。

「あなたが最後に長塚さんと会ったのはいつですか」弓削は訊いた。

「ええと、あれは……」栗田は手帳を取り出した。その頁を開く手が、小刻みに震えていた。「二十一日です。金曜の夕方です。自動車保険の更新手続きがありましたので」

「金曜なら、長塚さんは会社があるでしょう」

「いえ、あの日は休みだったと聞きましたが」

この栗田の話は事実だった。長塚多恵子が勤める化粧品メーカーでは、七月二十日の海の記念日を出勤日にして、二十一日を休日にしていた。そうすれば金、土、日が三連休になるからだ。だがもちろんそのことを知っていたからといって、栗田を全面的に信用するわけにはいかない。

「本当に二十一日ですか。二十二日じゃなかったんですか」弓削は念を押した。

「二十一日です。間違いありません」自分の手帳を見ながら栗田はいった。

「それをちょっと見せていただけますか」

「あ、いいですよ」栗田は手帳を弓削に渡した。

草薙は横から覗き込んだ。すると、七月二十二日の欄に一旦長塚多恵子の名前が書き込まれているが、二十一日に訂正されていた。そのことを草薙が指摘すると、栗田は特に狼狽した様子も見せずにいった。

「最初は二十二日に行くつもりだったんです。……というか、元々は十五日の約束でした。それで十五日に伺ったのですが、留守だったので、二十二日にまた来ますと書いた名刺を郵便受けに入れておきました。すると後日長塚さんから電話があって、二十一日に来てほしいといわれたんです」

これまた話に矛盾はなかった。しかし刑事が来ることを予想して、筋の通った話を用意しておくことは、さほど難しくはない。

「この予定表によりますと」弓削が口を開いた。「二十二日の昼間には、予定が入っていなかったようですね。どちらにいらっしゃいましたか」

「二十二日ですか……」栗田は口元に手を当てて少し考えてからいった。「あの日は、狛江《こまえ》のほうにいました」

「狛江？」

「ええ、あの……」栗田はしきりに顔をこすった。「その前日、ちょっと深酒をしてしまいまして、どうも気分がよくなかったものですから、午前中お客さんのところへ行ったついでに、多摩川の近くに車を停めて、休んでいたんです」

「どれぐらい？」と弓削は訊いた。「何時から何時ぐらいまでですか」

「ええと、たぶん昼過ぎから三時ぐらいまで休んでいたと思います。あの、このことは会社には内緒にしていただけますか」

「ええ、それはもちろん」いいながら弓削は草薙のほうをちらりと見た。臭うな、とその顔はいっていた。

「車は、会社のものですか」草薙が訊いた。

「いえ、自分の車です」

「車種と色を教えていただけますか」

「赤のミニクーパーです……」

「へえ、お洒落な車ですね。後でちょっと見せてほしいんですが」

「それはかまいませんけど……」栗田は答えた。黒目が不安そうに揺れていた。

翌日、栗田に対して任意出頭を求めることになった。重大な証言が、現場付近の住民から得られたからだ。

その住民とは、長塚多恵子が住んでいたマンションの斜め向かいで、お好み焼き屋を経営している女性だった。彼女は日頃、マンションの関係者が自分の店の近くに路上駐車することに強い不満を持っていたが、二十一日と二十二日の二日続けて、同じ車が停まっているのを目撃した。ドライバーが現れたら文句をいおうと思っていたらしいが、たまたま客の相手をしている間に、車はいなくなったということだった。

どういう車だったかという質問に、今年で四十八歳になるその女性は、自信たっぷりにこう答えた。

「名前は知らないんですけど、小さい車ですよ。形は何だか昔の車みたいなのです」

そこで捜査員がいろいろな車の写った写真を見せたところ、彼女は迷わずにミニクーパーを選んだ。さらに、「赤色でした」と断言した。

栗田に対し、執拗な質問責めが繰り返された。捜査員たちの殆どが、彼が犯人に違いないと思い込んでいた。何度も質問に答えているうちに、いずれぼろを出すだろうと読んでいた。

だが栗田は犯行を認めなかった。刑事の攻撃に半泣きになっていたが、それでも否定し続けた。そして草薙や弓削に話したアリバイを主張し通した。

やむなく草薙たちは、狛江で聞き込みを行うことにした。もし本当に栗田が川縁に車を停めて休んでいたのなら、目撃者がいるはずだからだ。そしてもしそういう証人が現れたなら、事件をもう一度見直す必要があった。

「まあ、たぶん無駄骨だろうけどな」弓削などは、こんなふうにいった。

この先輩刑事の読みは正しいようだった。丸二日をかけて、栗田が車を停めたという場所の近くを歩き回ったが、赤いミニクーパーを見たという人間には、どの刑事も出会わなかった。その場所は川を挟んで食品工場があったりして、どこからも死角になっているのだ。

やはり栗田は嘘をついている、奴が本ボシだ、そんな空気が再び捜査本部内に漂いかけた頃――。

一通の手紙が捜査本部の置かれている杉並警察署に届いた。差出人は狛江に住む男性だった。

そこには、捜査本部が混乱を起こすほどの、驚くべき内容が書かれていた。

どうやら学生食堂からくすねてきたと思われるプラスチック製のトレイに、湯川学は洗剤の液を注いだ。さらにストローの先端をその中に入れ、軽く吹くと、半球体のシャボン玉が出来た。

次に湯川は白衣のポケットから何か取り出してきた。金属製の丸いコインを何枚も重ねたような形をしている。

「ネオジウム磁石だ」そういって湯川は、磁石をシャボン玉に近づけていった。

するとシャボン玉はトレイの上を滑り、磁石に近づいていった。湯川が磁石を動かすと、同様に後をついていく。

「おっ」草薙は声を漏らしていた。「どういうことだ。金属でもないのに、磁石に吸い寄せられていく」

「どういうことだと思う?」磁石をポケットに戻し、湯川は訊いた。この物理学者が、理系オンチの親友をからかうのは、もはや恒例になっていた。

「どうせ、洗剤に仕掛けがあるんだろ。金属の粉を混ぜてあるとか」

「金属の粉を混ぜたら」湯川はいった。「たぶんシャボン玉自体ができないだろうな」

3

「じゃあ、何を混ぜてあるんだ。磁石にくっつく薬でもあるのか」

「何も混ぜてないさ。ふつうの洗剤だ」

「すると、ふつうの洗剤が磁石にくっつくのか」

「理論的には、それもありえないことはないが、この場合は違う」そういいながら湯川は流し台に近づき、マグカップを二つ、洗いかごから取り出した。またインスタントコーヒーかと草薙はげんなりする。

「じゃあどういうことなんだ。もったいぶらずに教えろよ」

「磁石に引き寄せられているのは」マグカップにコーヒーの粉を入れてから湯川は振り向いた。「洗剤じゃなく、その中の空気のほうだ」

「空気？」

「正確にいうと、そのうちの酸素だ。酸素というのは、比較的強い常磁性を持っているんだ。常磁性というのは、磁石に引きつけられる性質のことだ」

「へえ……」草薙は、トレイの中でまだ割れずにいるシャボン玉を見つめた。

「人間の思い込みというのは厄介なものだ。シャボン玉の中に空気が入っていることは知っているのに、目に見えないがために、その存在を忘れてしまう。そんなふうにして、いろいろなものを人生の中で見落とさなきゃいいがね」湯川は電気ポットの湯をマグカップに注ぎ、軽くかきまぜてから一つを草薙に渡した。

「俺の人生は見落としだらけだ、とでもいいたそうだな」

「まあ、それも人間らしくていいがね」湯川はインスタントコーヒーをうまそうに啜《すす》った。「それで、話の続きは？」

「どこまで話したかな」

「幽体離脱までだ。捜査本部に送られてきた手紙に、子供の幽体離脱のことが書いてあった、というところまで聞いた」

「そうだったな」草薙もコーヒーを飲んだ。

手紙の差出人の名前は上村宏となっていた。杉並で起きた殺人事件について、どうしても伝えたいことがあるので筆を執った、と前置きがしてあった。筆を執るという表現が使われているが、実際にはパソコンで印字されていた。

上村は、自分が事件とは全く無関係の人間であることを強調したうえで、自分の息子が重要な証人である可能性が高いと述べていた。それはここ数日、捜査員が調べ回っている赤い車に関することのようだった。

端的にいうならば、彼の息子の忠広という少年が、七月二十二日の昼間、近くの川縁に赤いミニクーパーが停まっているのを見たらしいのだ。午後二時前後、という詳しい時刻まで、手紙には記されていた。

ここまでならば、たしかに有益な情報である。捜査員がすぐにでも詳しい話を聞きに行くところだった。だが話はそれほど簡単ではなかった。

ただし、と手紙には断り書きがしてあった。そしてこう続けてあった。息子は通常の方法で目撃したのではないのです、彼は熱を出して寝込んでいる時、幽体離脱をして、自宅から少し離れたその場所の光景を見たらしいのです——。

捜査員の一人によってここまで読まれた時、本部にいた人間全員が狐につままれたような顔をした。続いて驚きの声が上がり、失笑が漏れ、やがてそれらは怒りへと変わっていった。真面目に聞いていたら、単なる悪戯《いたずら》だったのか、と。

だが手紙には、無視しきれないことも書いてあった。その少年が幽体離脱した直後に描いた絵に、赤いミニクーパーがはっきりと描かれているというのである。そしてその絵をポラロイドカメラで撮影したものが、手紙と一緒に入れられていた。

「手紙に電話番号が書いてあったので、俺が電話してみたんだよ。もしかしたら頭のおかしい男じゃないかと思ったんだが、上村という男は、電話で話すかぎりでは、いたってまともなんだな。誠意をこめて手紙を書いたつもりだが、悪ふざけだと誤解されるんじゃないかとおそれていたから、電話をもらえてうれしいというようなことを、まずいっていた。言葉遣いは丁寧だし、印象は悪くなかった」

「どういう話をしたんだ」と湯川は訊いた。

「まずは手紙に書いてあったことの確認さ。というよりこちらとしては、本気であの手紙を書いたのかどうかを確認したかったわけだ。上村は、誓って真実だと断言したよ。信じてくれという言葉には、なかなかの迫真性があった」

「迫真性で全て決めるのなら、君たちの仕事もずいぶん楽になるじゃないか」早速湯川が皮肉を返してきた。口元に、意味ありげな笑みを浮かべている。

草薙は、むっとした。

「もちろん信じたわけじゃない。上村に関する情報を述べているだけだ」

「もっともらしいとか、本気らしいというのは、情報としては何の役にも立たないな」

湯川はマグカップを持ったまま椅子に腰を下ろした。「この場合必要なのは証拠だ。その問題の日に、少年が幽体離脱なるものをしたという証拠があるのかい？」

「そんなものはどうせないに決まっている、という言い方だな」

「科学者はどんな時でも、たかをくくったりしない。あるのなら提示してくれ。いっておくが、その絵があるというだけでは証拠にならない。君たちが聞き込みをしているのを誰かから聞いて、絵を後から描いたという可能性もあるからな」

ふふん、と草薙は鼻を鳴らし、近くにあった机に尻を載せた。

「そういうだろうと思ったよ」

「ほう」湯川が草薙の顔を見上げた。「じゃあ、もっと説得力のある証拠があるということか」

まあな、と草薙はいった。

「子供が幽体離脱した日、上村は知り合いの雑誌編集者に、その問題の絵を見せている。そこの雑誌で取り上げてくれないかと話を持ちかけたわけだ。いい忘れたが、上村の職業はフリーライターだ」

「幽体離脱した日というと、七月二十二日か」

「そういうことだ。杉並で長塚多恵子が殺された日だ。もちろんこの時点で、上村は事件のことなど知らない。その絵が重要な意味を持つことなど、その時には予測できなかったわけだ」

友人の、黒縁眼鏡の奥の目が、わずかに光ったように草薙には見えた。ようやく関心を持ったらしいぞと手応えを感じた。

「どうだ」と草薙はいった。「これなら立派な証拠だろう」

だが湯川は答えず、たっぷり時間をかけて、マグカップの中のさほど旨《うま》くもないコーヒーを飲んだ。その目は窓の外に向けられている。

例のガリレオ先生に相談してこい、といったのは係長の間宮だ。草薙に物理学助教授の親友がいて、これまでにも不可解な事件に遭遇した時には、その人物から貴重なアドバイスを貰っているということは、草薙の所属する班では有名な話だった。

じつのところ捜査本部では、上村からの手紙の扱いに困っていた。情報自体は極めて重要である。だがその情報の入手方法に問題があった。これを正式な捜査資料として扱うことはとてもできない。といって、全く無視していいのかというと、それについては誰も結論を出せないのだった。

上村がフリーライターだということも、頭の痛いことの一つだった。捜査当局としては、できればこの問題をマスコミにかぎつけられたくないのだ。

「リン・ピクネットという人物の本によると」マグカップを机に置いて、湯川が話しだした。「十人か二十人に一人の割合で、幽体離脱、たしかその本では体外離脱と書いてあったと思うが、それを体験しているらしい。身体が上に浮き上がる感じがして、人の話し声を聞いたり、全く知らないはずの遠い土地の情景を見たりするそうだ。特に情景については、後で調べてみると、細部まで一致していたというケースが殆どだという。これは遠隔透視というそうだ。イギリスの学者二人がこの遠隔透視のテストをして、何らかの形の意識が肉体を離れて別の場所の情報を入手できる、という結論を出したこともある」

そこまでしゃべってから湯川は草薙を見て、にやりと笑った。「その少年のケースも、これかもしれないな。だとしたら、体外離脱なり遠隔透視も、とうとう警察捜査に役立ったということになる」

「おまえまで、そんなことをいうのか」草薙は顔をしかめた。「冗談じゃない。今のまじゃ、報告書を作ることもできない」

「いいじゃないか、ありのままを書けば。なかなか斬新な報告書になると思うけどな」

「他人事《ひとごと》だと思って」草薙は頭を掻きむしった。

湯川は低く笑った。

「まあ、そうかっかするな。僕がそんな本の話を持ち出したのは、そういう不思議なことをいいだす人間が出てくるのは、そう珍しいことじゃないといいたかったからだ。特殊性に目をくらまされず、客観的事実にだけ注目すれば、また別の解答も見えてくるんじゃないかな」

「何がいいたいんだ」

「君の話を聞いて、とりあえず二つの可能性を思いついた。その上村某という人物も、その息子も、両方とも嘘をついていないと仮定してのことだけどな」湯川は指を二本立てた。「まず一番目は、偶然の一致というやつだ。少年は、あたかも幽体離脱したような夢を見て、目が覚めてからそれを絵に描いた。するとそれがたまたま、殺人事件の容疑者の供述内容と一致してしまったというわけだ」

「それはうちの課長の説だ」

草薙の言葉に、物理学の若き助教授は満足そうに頷いた。

「前にもいったことがあるけれど、その課長はじつに論理的な考え方をする人だ」

「ただ頭が固いだけだと思うけどな。もう一つの説は？」

「少年の錯覚だ」湯川はいった。「少年は、実際にその目でミニクーパーを見たのさ。もちろん起きている時にだ。しかし特に強く印象に残ったわけでもなく、見たこと自体を忘れていた。ところが熱のせいで意識が朦朧《もうろう》とした時、不意にその情景を思い出した。やがて、見た時間と状況を錯覚してしまう」

「眠っている時に魂が勝手に身体から抜け出し、その光景を見た、と思い込んでしまったわけか」

「そういうことだ」湯川は頷いた。

草薙は腕組みをし、唸《うな》った。そういう錯覚は起こりうるように思われた。

「夢の内容と容疑者の供述がたまたま一致したというのは、可能性としては低いと思う。何しろ車の屋根が白いことやボンネットに白いラインがあることまで合致しているんだぜ。これは同じローバーミニの中でもミニクーパーだけが持つ特徴だ」

「少年がカーマニアなのかもしれない」

湯川の言葉に、草薙は首を振った。

「上村氏の話では、少年は車のことは何も知らないそうだ」

「ふうん……」

「問題は二番目の説だな。もし少年がそういう錯覚をしたのだとしたら、実際にはいつミニクーパーを目撃したのかが問題になる。捜査に関わってくることだからな」

「それを調べるのは、さほど難しくはないだろうな」湯川はいった。「少年の描いた絵と実際の地形とを比較すれば、少年がどこからミニクーパーを見たのかが推測できる。あとは、少年がいつその場所へ行ったのかを明らかにすればいいだけのことだ」

「なるほど」草薙は合点して頷いた。

「まあ、がんばってくれ。何かわかったら、知らせてくれるとありがたいが」

「あれ？　一緒に来てくれるんじゃないのか」

「今いったようなことを調べるだけなら、君一人で十分だろう」湯川は眉を寄せた。

「おまえはさっきいったよな。上村某と息子が嘘をついていないとしたらって。つまり嘘をついている可能性も、依然として否定はできないわけだ。そこで、現地に行ってみるついでに、上村親子にも会ってこようと思う。しかし、だ」草薙は立ち上がり、学者の肩に手を置いた。「この理系オンチの俺に、彼らが嘘をついているのかどうか、見破れると思うかい？」

　この台詞に、湯川はげんなりした表情を作った。

「そんなことで君に威張られるとは、夢にも思わなかったな」そしてマグカップを手に、椅子から腰を上げた。

4

七月二十二日の午後に栗田信彦がいたと主張している場所は、狛江からやや多摩川よりのところだった。堤防が整備され、一部、車が川縁まで近づける場所がある。そこにミニクーパーを停めて休んでいたと彼はいっているのだ。

「仕事をさぼっているわけだから、その栗田という人物としては、なるべく人目につかないところに車を停める必要があったわけだ。しかしそれがあだになったわけだ」今は何もない川縁に立って、湯川はいった。

「栗田が本当のことをいっているとはかぎらないぜ」草薙は反論した。

「しかし、嘘にしてはよくできているじゃないか。実際にこういう場所があるわけだからな」

「栗田は何度もここで昼寝をしていたのかもしれない。だから、アリバイを訊かれて、咄嗟《とっさ》にこの場所のことをいったのかもしれない」

「なるほど」湯川は頷き、しげしげと草薙の顔を見た。「その通りだ。なかなか論理的なことをいうようになったじゃないか」

「馬鹿にするな。こんなこと、刑事にとっちゃ常識だ」

「それは失礼。ところで、あの建物は何だい」そういって湯川は、川の反対側に見える黒い建物を指差した。

「あれは、ええと……」草薙は拡大地図を広げた。「食品会社の工場だ」

「ここに停まっていた車を目撃するとなると、あの工場からの角度がベストのようだな」

「そうだな。おや……」地図を見て草薙は、あることに気づいた。

「どうした？」

「上村宏の住むアパートを探していたんだが、どうやらあの工場の向こう側らしい」

「向こう側？」湯川は工場を見上げた。「ということは、アパートの窓からここを見通すのは不可能のようだな」

「とにかく行ってみよう」と草薙はいった。

玄関のチャイムを鳴らすと、中で誰かが小走りで近づいてくる音がした。間もなくドアの鍵が外され、よく日焼けした男の顔が現れた。

「ええと、先程電話をいただいた……」

「草薙です」といって彼は頭を下げた。

「あ、どうも、上村です。お待ちしていました」男は晴れやかといっていい笑顔を見せた。これほど歓待されたのは、刑事になって初めてだなと草薙は思った。

「ちょうどよかったですよ。今朝、電器屋が来ましてね、エアコンを修理していってくれたんです。これが壊れてるともう、仕事にならなくて」

さあどうぞどうぞと、上村は草薙と湯川を室内に招いた。ダイニングテーブルの上が奇麗に片づいているのは、急いで掃除をしたからか。二人を椅子に座らせると、上村は冷蔵庫から麦茶を出してきた。

どうぞおかまいなく、と草薙はいった。

「男所帯なものですから、汚くてすみません。おまけについこの間まで仕事に追われていたものですから、全然片づいてなくて」上村は慣れない手つきで、二人の前に麦茶の入ったグラスを置いた。

「奥さんは？」

「今はいないんですよ。離婚しましてね。もう三年になります」屈託なく上村は答えた。

草薙はさりげなく室内を見回した。装飾品めいたものが全くなく、棚なども機能性を重視したものばかりだ。スチール製のキャビネットが置いてあるところなどは、ダイニングというより事務所という感じだった。食器棚の中の食器も、異様に少ない。

上村はとなりの部屋の襖を開け、中に声をかけた。「刑事さんが見えたから、おまえもちょっとこっちへ来なさい」

物音がして、半ズボンを穿《は》いた少年が出てきた。痩せていて、顔色もあまりよくない。少年は草薙たちを見て、「こんにちは」と挨拶した。

忠広という名前だと、上村が紹介した。

「早速ですが、例の絵の実物を見せていただけますか」草薙はいった。

「あ、はいはい」上村はもう一つの部屋のほうに入っていき、一冊のスケッチブックを持って出てきた。そして草薙たちの前に置いた。「これなんですよ」

「ちょっと失礼」湯川が手を伸ばした。

草薙は横から覗き込んだ。写真で見たのと同じ絵だった。灰色の背景があり、手前に白っぽい道と赤い車が描かれている。車はツーボックスタイプで屋根が白く、タイヤが小さかった。たしかにミニクーパーに見えた。

「あの堤防の近くの景色に似ていないことはないが、これだけでは、あそこだと断定はできないな」湯川が呟《つぶや》いた。「単に赤い車を描いたというだけのことだ」

「本人は、あの場所を描いたつもりなんですよ」上村が、少しむっとしたようにいった。

「本人に訊く必要があるな」湯川は草薙にいった。それで草薙は、この男が小さな子供と話をするのが嫌いだということを思い出した。

草薙は、俯《うつむ》いて座っている忠広に訊いた。「これは、どこの場所を描いたものだい？」

少年が下を向いたまま、何かいった。だが声が小さすぎて聞こえない。

「もっと大きな声で、はっきりというんだ」上村が叱った。

「川の……向こう」と少年はいった。

「川の向こう？　間違いないかい」

草薙が訊くと、少年は小さく頷いた。

「すると……この部屋からだと、どちらの方角になるのかな」草薙はあたりを見回した。

「あっちのはずだ」といって、湯川が和室のほうを指した。

「そうです。ちょっとこっちへ来てください」上村が立ち上がった。

和室もまた殺風景な部屋だった。テレビと組立家具が置いてあるだけだ。窓のそばに布団が一組敷いてあった。

上村が窓を開けた。すると眼前に、例の食品会社の工場が迫っていた。そのおかげで、景色らしきものは何も見えない。

「御存じだと思いますが、この工場の向こう側に川があるんです」上村はいった。「息子は、その川のさらに向こう側の景色を見たといっているんです。二十二日にミニクーパーが停まっていたかどうかが問題になっているのは、そこの場所だと思うのですが」

「おっしゃるとおりですが、ここからあの堤防が見えたというのは、どうも……」

「ですから、ここから見たわけじゃないんです。ここからだと見えませんから。息子は、もっと高いところから見たんです」そういって上村は忠広のほうを見た。「あの時のことを刑事さんに話しなさい」

父親にいわれ、忠広は、ぼそぼそと口を動かし始めた。このところ風邪で家からは一歩も出ていないこと、二十二日も朝から寝ていたことをまず話し、続いて肝心の内容に移った。寝ている時、突然身体が浮くような感じがしたと思ったら自分は空中にいて、遠くの景色が見えた、と彼はいった。

「どのくらいの高さまで浮いたのかな」湯川が草薙の耳元で囁《ささや》いた。つまり、それを質問しろということらしい。

「浮いた高さはどれぐらいだい？　天井ぐらいまで？」

「ええと……」忠広はもじもじした。

「はっきりと答えるんだ」上村が横からいった。「本当のことなんだから、正直にいえばいいんだ。窓から飛び出したんだろう？」

「えっ、窓から？」草薙は驚いて少年を見た。「本当かい？」

「うん……」忠広は腹のあたりを掻きながらいった。「身体がふわふわ浮いて、窓の外に出ちゃったんだ。裏の工場よりも高く上がって、それで川のほうまで見えたんだ」

「それから？」と草薙は訊いた。

「おかしいなあと思っていたら、今度は下がりだして、また部屋の中に入ってきた。気がついたら布団の上で寝ていて、スケッチブックがそばにあったから、上で見た景色を絵に描いたんだ」

「それが午後二時頃だったんですよ」上村が口を挟んだ。「間違いありません。ちょうどその頃、近所のタケダさんという女性が来ていて、一緒にこの絵を見ましたから、彼女に確認していただいてもかまいません」

草薙は頷き、窓から外を見た。到底信じられる話ではなかった。しかし、少年の描いた絵は存在している。

「あの工場に確認してみる必要があるな」食品工場を見て湯川がいった。「正面に大扉が見えるだろう？　大きな設備なんかを搬入する時に開けるはずだ。七月二十二日の午後に、あの大扉を開けなかったかどうかを調べたほうがいい」

「開けたとしたらどうなんだ」

「さっき堤防のほうから確認したんだが、工場の川に面している側にも大扉が付いていた。ということは、両方を同時に開ければ、工場全体がトンネルのようになって、こちらから向こう側を見通せるということになる」

「あ、なるほど。よし、早速確認してみよう」草薙は手帳にメモしようとした。

「ちょっと待ってください」上村が少し強い口調でいった。「あなたがたは、あの時たまたま工場の大扉が開いていて、それで見通せた景色を、息子が幽体離脱して見たと勘違いしているというのですか」

「一つの可能性として考えられます」

湯川の言葉に、上村は首を振った。

「ありえない。いいですか、ミニクーパーの停められていた場所は、工場よりもずいぶん下がったところにあるんです。仮に工場の大扉が開放されていたとしても、この窓から見通せるのは、堤防よりもずいぶんと上の位置だけです。疑うのなら、測量でも何でもしてみるといい」大きくゼスチャーを交えながら話すところに、彼の苛立ちが現れている。

「そう、簡単な測量はするべきでしょうね」湯川が、さらりといった。相手が感情的になっても、自分のペースを決して乱さないのが、この男の特徴だった。

上村はダイニングに行くと、さっきの絵を持って戻ってきた。

「この絵を見てください。車の白い屋根がはっきりと描かれている。こんなふうに描くということは、かなり上から見たとしか考えられないんじゃないですか」

湯川はスケッチブックに目を落としたまま黙り込んだ。彼の頭の中では、この現象を合理的に説明するためのいくつかの仮説が、めまぐるしい勢いで組み立てられているはずだった。またそうであることを草薙は祈った。

その時部屋のどこかで電話が鳴りだした。ちょっと失礼、といって上村は部屋を出た。

「どうだ、湯川」草薙は声を落としていった。「何とか解明できそうか」

しかし湯川はこの質問には答えてくれなかった。その代わりに彼は、隅で小さくなっている忠広に、「こういうことは、前にもあったのかい？」と訊いた。

子供嫌いの彼が、こんなふうに話しかけるのは珍しいことだった。忠広は小さく首を振った。それから怯《おび》えるように、父親の後を追うように出ていった。

「ええ、今警察の人間も来ているんですよ。かなり関心があるみたいでしたね。……ええ、もちろんスペースさえいただければ、いくらでも原稿は書きますよ。すでに日記形式でまとめてはあるんです」上村の話し声が聞こえてきた。「杉並のほうの情報は、そちらで何とか……ええ、お願いします。それから、こういうことに詳しい人を誰か紹介してもらえませんか。超常現象研究家というか、まあその道のプロの人です。……ああ、それは都合がいい。よろしくお願いします。……はい……はい。わかりました」

電話を終えて上村が戻ってきた。鼻歌を歌いだしそうな表情に、草薙には見えた。

「このことを、どこかで記事にされるんですか」と彼は訊いた。

「付き合いのある雑誌にね」と上村はいった。「ああ、そうだ。そこの雑誌の編集者にも訊いてもらえるといいです。この絵を見せたのが、杉並の事件で警察が騒ぎだす前だということが明らかになるはずです」

「それより上村さん、このことを公表するのは、もう少し待っていただけませんか」

「ほう、なぜですか」

「なぜって……」

「警察が息子の話を捜査の参考にする、なんてことはどうせないんでしょう？　あなた方がここへ来たのも、忠広が何か錯覚していることを確認したかっただけじゃないんですか。だったら、僕がどこで何を書いたって構わないじゃないですか。それとも、息子の話を他の証言と同等に扱ってくれますか。それなら、少しは考えてもいいですけど」

「いや、それは自分には何とも。上司に相談しませんと」

「相談しても同じことですよ。結果はわかっている」上村は窓をぴしゃりと閉め、草薙と湯川の顔を交互に見た。「ほかに何か質問は？　息子の話を信じた上での質問なら、いくらでもお答えしますが、ペテンか何かだと決めつけておられるのでしたら、今すぐにお帰りください」笑みを浮かべているが、その目には挑戦的な光が宿っていた。

「女性が一緒にいた、とおっしゃいましたね」湯川がいった。「たしかタケダさん、とか。その方の連絡先を教えていただけますか」

「もちろん教えますよ。このすぐ近くだから、今から行くといいです。いくらでも聞き込みをしてください」そういうと上村は、そばの棚からメモ用紙とボールペンを取り、雑な地図を描き始めた。

「参ったな。すっかり敵に回しちまった」上村の部屋を出ると、草薙は顔をしかめていった。

「気にすることはないさ。あの男は元々、警察が本気で取り合わないことを知っている。それでも手紙を出したりしたのは、とにかく警察も注目した、という実績が欲しかったからだ。そのほうが、幽体離脱の記事を書くにも、華やかになるからな」湯川が冷めた口調でいう。

「利用されたってことか？」

「はっきりいうと、そうだ」

湯川の言葉に、草薙は歩きながらうなだれた。

「なあ、幽体離脱ってのは本当にあるのかな」

「さあね。僕はデータが揃うまでは結論を出さない主義なんだ」

「データは揃ってるぜ。上村親子の部屋から、ミニクーパーの停まっていた場所を見ることはできなかった。そして上村忠広は最近一歩も外に出ていない」

「そのデータが正しいのかどうかを、まず検証しなくちゃな」湯川が足を止めた。そして右手の親指を横に向けた。

彼が指しているのは食品工場だった。周りに塀が巡らされているが、トラックが一台、通用門らしきところから出ていくのが見えた。

「もし大扉が開いていたとしても、アパートの部屋から堤防は見通せないという話だったじゃないか」

草薙がいうと、湯川は小さく吐息をついた。「だから情報を収拾する必要はないというのかい？」

「わかったよ。調べりゃいいんだろ」草薙は通用門に向かって歩きだした。

守衛室らしきものがあったので、そこで身分を名乗り、工場の責任者に会いたいのだがといった。もう老人といっていい年齢と思われる守衛は、あわてた様子でどこかに電話した後、「御用件は？」と尋ねてきた。

「ある事件の捜査でね」と草薙は答えた。「殺人事件なんだけど」

殺人という言葉が効いたのか、守衛はそれまでやや曲がり気味だった背中を、ぴんと伸ばした。

守衛室の前で待っていると、五十歳ぐらいの太った男が現れた。工場長の中上と名乗った。クリーム色の帽子の縁に、汗が滲《にじ》んでいた。

七月二十二日に工場の大扉を全開放しなかったか、と草薙は訊いた。この質問に対し、中上は眉を寄せて訊いてきた。「なぜそんなことをお尋ねになるんですか。殺人事件とどういう関係があるんですか」

「それは捜査上の秘密なんですよ。いかがです、開けましたか？」

中上は、すぐには答えなかった。刑事の真意がどこにあるのかを考えている顔だった。やがて彼は答えた。「いいえ、開けてません」

「本当ですか」

「はい。表のほうは大抵開いていますが、裏の大扉は、特殊な生産機械を搬入する時ぐらいしか開けないんです」中上は落ち着いた口調でいった。

「そうですか。お忙しいところを、どうもすみませんでした」草薙は守衛にも礼をいって工場を出た。

門を出ると湯川の姿が消えていた。塀に沿って歩いてみると、物理学者はゴミ箱を漁《あさ》っていた。正確にはゴミ箱ではなく、食品工場の廃棄物置き場だ。

「何をしているんだ」と草薙は声をかけた。

「面白いものを見つけた」そういって湯川は手に持っていたものを見せた。

それはスニーカーだった。ただし何かで切断したのか、後ろ半分がなくなっている。

「それのどこが面白いんだ。切ってあるところか」と草薙は訊いた。

「よく見ろよ。切ってあるんじゃないぜ。といって、引きちぎってあるわけでもない。じつに興味深い破断面になっている」湯川は落ちていたコンビニの袋を拾うと、その壊れたスニーカーを中に入れた。

「おまえの研究のために、こんなところまで来たんじゃないぜ」そういって草薙は歩きだした。次は竹田幸恵に会わねばならなかった。

竹田幸恵は自宅でパン屋をしていた。構えは小さいが、近くに行くと焼きたての匂いにつられて入ってしまいそうになる店だった。幸恵は二歳下の妹と二人で、製造と販売をこなしているということだった。夫は五年前に事故で亡くなったらしい。

「あの日のことはよく覚えています。でも、絵を見た時は、そんなには驚かなかったんです。上村さんは興奮していたけれど、たぶん忠広ちゃんが寝ぼけたんだろうと思っていたんです。あの子にしては、下手な絵だったし」

ところが、と幸恵は続けた。次の週になって、店に刑事が来て、おかしなことを尋ねていった。二十二日に堤防の近くで、赤い小さな車が停まっているのを見なかったか、というのだ。ミニクーパーという車で、屋根は白だという。知らない、と幸恵は答えた。だが同時に、あることを思い出していた。例の忠広が描いた絵のことだ。あそこに描かれていたものこそ、赤い車ではなかったか。そこで彼女はそのことを上村宏に話したのだった。

事の成りゆきがこれでわかったと草薙は思った。息子の幽体離脱を何とかアピールしたいと考えていた上村は、絶好のチャンスだと思って、あの手紙を書くことを思いついたのだろう。

「ねえ、刑事さん、魂が身体から抜け出るなんてこと、本当にあるんでしょうか」話し終えた後で幸恵が尋ねてきた。

「さあ、それは……」返答に困り、草薙は湯川を見た。だが湯川は話を聞いていないのか、店頭に並べられたパンを眺めている。

「そういうことが本当にあるのかどうか知らないけど、あたしはね、上村さんがこのことで、妙にはしゃいじゃってるのが気に入らないんですよ。こんなことで有名になったって、仕方がないと思うんだけど……」幸恵はしんみりといった。

上村に気があるのだな、と草薙は思った。年回りも合うかもしれない、とも考えた。

その時湯川が、「すみません、このカレーパンを一つください」と横からいった。

5

死体発見から十日が経っていた。栗田信彦は依然として容疑を否認し続けていた。捜査側としても、彼を追いつめる材料が揃わず、苦悩していた。

むしろ、栗田にとって有利といえる状況証拠が、いくつか出てきた。その一つが、殺された長塚多恵子の部屋に残る、男の痕跡だった。

風呂の排水口から、ある特定の男の毛髪が見つかっていた。その毛髪は、部屋の絨毯、トイレのマット等からも発見されている。また安全剃刀《かみそり》、シェービングクリーム、さらにはコンドームなどが、一つの紙袋にまとめて、押入にしまってあった。

毛髪から判明した血液型はA型。しかし栗田はO型だった。

無論長塚多恵子に交際している男性がいたからといって、栗田への容疑が弱まることにはならない。むしろ、彼女にそういう恋人がいたことを知った栗田が、逆上して殺したというセンもあり得る。

だがその男の身元が全くわからないという点に、刑事たちは釈然としないものを感じていた。つまり多恵子はその男との関係を、親しい人間たちにも秘密にしていたということである。またその男にしても、恋人が殺されたにも拘《かかわ》らず名乗り出てこれない事情があるわけだ。

「不倫だよ。相手は妻子持ちの男だ」またしても弓削刑事がこんなふうにいって騒いだが、今度は誰も彼の意見に異を唱えたりはしなかった。

さりげなく、そして虱《しらみ》潰しに、長塚多恵子の周辺が洗われた。特に職場の男性社員については、徹底的に調査が行われた。これはと思われた人物については、こっそりと毛髪が調べられたりしたが、多恵子の部屋で採取されたものと一致する人間はいなかった。

殆ど手詰まり状態になった頃、捜査陣にとってじつに不愉快なことが起こった。ある週刊誌で、上村忠広の幽体離脱のことが記事になったのだ。記事を書いているのは、いうまでもなく上村宏だった。

「参っちまったなあ、おい」週刊誌を読んでいた間宮が呻くようにいった。捜査本部の置かれた杉並署内の会議室で、草薙が報告書をまとめている時だった。「長いこと警察にいるけど、こんなことは初めてだよ」

「この週刊誌を読んだ市民から、ここにもじゃんじゃん電話がかかってきているそうですよ。警察はどうして少年の貴重な証言を取り上げないんだってね」自動販売機のコーヒーを手にした弓削が、下を指しながらいい、にやにや笑った。

「参ったなあ」間宮は顔をしかめた。「また課長の機嫌が悪くなるぞ」

その課長は、現在別室で会議中だった。

そこへ若い刑事が来て、テレビに上村親子が出ていますよといった。それで弓削が近くのテレビのスイッチを入れると、ワイドショー番組で上村宏と忠広が並んで映っていた。

「私が調べたかぎりでは、いわゆる幽体離脱というのは、外傷を受けた時などにしばしば起きるものらしいのです」上村宏が話している。「たとえば頭を殴られた時などです。ふっと身体が上に浮き上がる感じがしたと、体験者は語っています」

「それは殴られた弾みで、頭がどうかしてしまったんじゃないのか」間宮が呟いた。

上村はさらに語る。「また臨死体験者は、ほぼ例外なく体外離脱を体験しています。つまり肉体的苦痛から脱するため、一時的に意識だけが身体から離れると考えられるのです。忠広の場合、高熱による苦しみから逃れたいという思いが、今回の奇跡を呼んだといえるんじゃないでしょうか」

「すると忠広君の体験は幽体離脱に違いないと上村さんは考えておられるわけですね」

司会者が訊いている。

「というより、そう考えるしかないと思います。この分野での研究がもう少し進めば、せっかくの貴重な証言を警察が取り上げないというような、馬鹿なこともなくなるのでしょうがね」そういって上村は、真っ直ぐにカメラを見つめた。

弓削が苦笑しながらテレビを消した。「好き放題にいわれてるなあ」

「草薙、ガリレオ先生のほうはどうなんだ。何かわかったのか」間宮が訊いてきた。

「それが、俺にもよくわからないんですよ。何とかしてくれるとは思うんですが」

「なんだ、頼りないなあ」間宮は頭を掻きむしった。

そこへ二人の刑事が戻ってきた。どちらも汗だくになっている。

「ごくろうさん、何か掴《つか》めたかい」間宮が尋ねた。

「ミニクーパーのことでちょっと」一方の刑事が答えた。

「またミニクーパーか」間宮はげんなりした顔を草薙たちに向けた。「どういうことだ」

「長塚多恵子のマンションの近くに住んでいる男性が、例の赤いミニクーパーが停まっているのを見ているんです。ただ残念ながら、それが二十一日だったか、二十二日だったかは、はっきりしないらしいんです」

「それがはっきりしないんじゃ、どうしようもないなあ」

「でも一つ気になることがあるんです。そのミニクーパーを、妙な男が覗き込んでいたというんですよ。夏なのに背広をきっちりと着た、痩せた中年男だったそうです」

「ふうん……」

「その外見からすると、栗田ではないですね」草薙がいった。「誰かな」

「単なるカーマニアじゃないのか」弓削の意見だ。

「そういう感じではなかったというのが、目撃者の話ですがね」聞き込みをしてきた刑事が答えた。「車の持ち主を確認しているように見えた、というんですが」

「じゃあその背広男の知り合いに、同じ車を持っている人間がいたんだろう。だって、栗田と奴の愛車のことを知っている人間が、たまたま通りかかったとは考えられないぜ」

弓削の言葉に、一同が考え込んだ。彼の意見はもっともなものではあった。

「ちょっと待てよ」間宮が口を開いた。「その背広男がそこにいたのは、たまたまではなかったとしたらどうだ？」

「どういう意味ですか」と弓削が訊いた。

「つまりだな、その男は長塚多恵子の部屋へ行くつもりだったんだ。ところが、近くまで行ってみると、見覚えのある車が停まっている。もし栗田信彦の車なら、栗田は多恵子の部屋にいるはずだ。となると、これから自分が行くのはまずい。それで誰の車かを調べていた……」

「待ってください」草薙が口を挟んだ。「だとすると、その男は長塚多恵子と栗田信彦の双方と親しい人間、ということになります」

「そうだな。そういう人間はいないか」

全員が黙って顔を見合わせた。やがて弓削が呟いた。「あの二人は誰かの紹介で見合いをしたんだったな……」

一瞬後、全員がほぼ同時に立ち上がった。

「なるほど、それで被害者の元上司が捕まったわけか」草薙の話を聞き、湯川は頷いていった。

「その吉岡という男は三年前に会社を辞めていたんだ。長塚多恵子とは、その前から関係があったようだな。多恵子が不倫していることまでは推測できたが、退職した人間まで当たらなかったのが俺たちのミスだった。吉岡は栗田とは、保険を通じて親しくなったらしい」草薙はそういってコーヒーを飲んだ。いつもながら事件が解決した後だと、インスタントでも旨かった。吉岡は刑事に追及されると、あっさりと白状したのだった。

「するとその吉岡なる人物は、栗田氏に自分の愛人を紹介したわけか」

「そういうことだ」

「やれやれ」湯川は頭を振った。「男と女の関係は不可解だね、全く」

「吉岡は多恵子との関係を断ちたかったから、そんなことをしたんだ。だけど多恵子に別れる気はなかった。平然と見合いをしたのは、たぶん、こんなことでは自分の気持ちは変わらないということを示すためだったんだろう。最近では、二人の関係を奥さんにばらすという意味のことを仄《ほの》めかしていたらしい。それで吉岡はビビった」

吉岡は会社を辞めた後、妻が親から受け継いだリース会社の重役におさまっていた。それだけに多恵子との関係が妻に知れると、すべてを失うおそれがあった。

吉岡はまず二十一日に、多恵子を説得するつもりで彼女のマンションへ出向いた。ところが栗田のミニクーパーを見て、出直すことにしたのだ。そして翌日、事前に電話してから多恵子の部屋に行き、自分と別れてくれるよう頼んだ。

だが彼女は納得しなかった。今すぐ奥さんに電話する、とまでいいだした。

「あとはありふれた話さ。かっとなって気がついたら首を絞めていたというんだな。まあ計画性が全くないから、信用してやってもいいかなと思うがね」

「じゃあ、二十二日にミニクーパーが路上駐車されていたことはどうなるんだ。それは結局、栗田氏の車ではなかったわけだな」

湯川に訊かれ、草薙はつい苦い顔をした。

「それに関しては、がっかりしたオチがついている。二十一日に停まっていたのは栗田のミニクーパーだが、二十二日に同じ場所に停められていたのは、吉岡の車だったんだ。何のことはない。お好み焼き屋の女将が勘違いしていたんだ。たしかに赤っぽい色ではあるが、車種はなんとビーエムだぜ。それをどうしてミニクーパーだと思い込んだのか……全く理解に苦しむ」

「人間の記憶というのはそういうものさ。錯覚する動物なんだ。だからこそ、オカルト話があとを絶たない」

「そんなことをいう以上は、例の問題は解決しているんだろうな。俺は今日、それを訊きにきたんだぜ」草薙は湯川の顔に人差し指を向けた。

「事件が解決したから、あの件はもういいんじゃないのか」

「そうはいかない。あの後もおかしな問い合わせが来たりして迷惑してるんだ。捜査一課の連中からも、ガリレオに頼んで何とかしろといわれて困っている」

「ガリレオ？」

「頼むよ、何とかしてくれ。おまえならできるだろう？」椅子から立ち上がり、草薙は拳を振った。

湯川は椅子に座ったまま、身体を大きく後ろに反らした。

「一つ調べてくれるか」と彼はいった。

「調べる？　どんなことだ」

するとと湯川は白衣のポケットから何か取り出した。見るとそれは先日拾った、スニーカーの破片だった。

「この貴重なサンプルが語ることを確認してほしいんだ」

「へええ……」それを手に取り、草薙は首を捻った。


この夜、草薙は湯川の部屋に電話した。

「おまえのいうとおりだったよ。例の食品会社の工場長を問い詰めてみたところ、やはりあの日、大扉を全開したそうだ」

「思った通りだ」湯川はいった。「すると、事故もあったわけだな」

「そういうことだ。こっちが事故のことを知っていると思って、工場長もごまかしきれないと観念したらしい。どうか穏便に、といわれたが、そうはいかない。しかるべき部署に連絡するつもりだ」

「あの会社もついてなかったな。妙な幽体離脱騒ぎさえなければ、事故のことは内密にできたのに」

「そのことだが、あの工場の事故と幽体離脱と一体どういう関係があるんだ。いくら考えてもわからないんだけどな」草薙はいったが、じつは考えてすらいなかった。考えようにも、バックグラウンドが何もない。

少し沈黙した後、湯川がいった。

「では種明かしといこう。だけど観客が必要だな」

「観客？」

「そう。是非連れてきてくれ」と湯川はいった。

6

事件解決から三日後、草薙はタクシーの助手席に座って、帝都大学に向かっていた。後部座席には上村親子が座っている。

「本当に一時間で済むんでしょうね。今日は雑誌のインタビューがあるので、四時までには必ず新宿に行かなきゃならないんですよ」上村宏が不機嫌さを露骨に声に出していった。突然部屋に押し掛けられ、強引にタクシーに乗せられたのだから、不愉快になるのも当然だった。

「すぐに終わるはずです。我々が行くまでに準備は整えておくといってましたし」

「どういう実験をするつもりか知りませんが、私の信念を変えるのはまず無理だと思いますよ。とにかくあの日忠広が、見えるはずのないものを見たのは事実なんですから。例の事件で疑われていた人だって、結局無実だと証明されたわけでしょう？」

「お言葉ですが、あの人が無実だと結論づけられたのは、真犯人が判明したからです。アリバイが証明されたからじゃありません」

「同じことです。その人が無実だということは、主張していたアリバイが正しかったということです。つまりあの日あの場所に、赤いミニクーパーは停まっていたんだ。そしてそれを忠広は見た。絶対に見えるはずのない場所からね」

「まあですから、そういうことがあり得るのかどうかを、これから実験しようというわけです」

草薙の言葉に、上村宏はふんと鼻を鳴らした。

「恥をかくのがオチだと思いますがね。いっておきますが、もし実験が失敗した場合でも、このことは記事にしますからね。覚悟しておいてください」

「ええ、それはもう」後ろに向かって愛想笑いしてから、草薙は前方に顔を戻した。だが内心は冷や冷やしていた。彼は湯川が何をするつもりなのか、全く知らなかった。

大学に着くと、上村親子を案内しながら、理工学部の棟に向かった。物理学科第十三研究室が、湯川のいる部屋だった。

部屋のドアをノックすると、どうぞ、という声が聞こえた。草薙はドアを開けた。

「グッドタイミングだ。ちょうど準備が完了したところだ」白衣姿の湯川が、実験机の傍らからいった。

「二人を連れてきたよ」そういってから草薙は、流し台のところにいた人物を見て驚いた。竹田幸恵だった。

「竹田さん、どうしてここに？」上村が尋ねた。

「湯川先生から電話をいただいて、実験を手伝ってほしいといわれたの。あたしも興味があったから、是非お手伝いさせてもらおうと思ってやってきたのよ」彼女はにっこりしていった。

「よく彼女の電話番号がわかったな」草薙は湯川に訊いた。

「別に難しいことじゃない。カレーパンを買った時の袋に、電話番号が印刷されていた」

「あ……」あっさりといわれ、草薙は拍子抜けした。だがすぐに、あの時にこの男がカレーパンを買ったのは、この日の状況を予測していたからだろうかという気になった。

「何をするつもりかは知りませんが、早いところお願いしますよ。とにかく我々は忙しいんでね」上村が草薙と湯川の顔を見比べながらいった。

「お時間はとらせませんよ。そう、煙草を一本吸う間に終わります。煙草をお持ちですか」湯川は上村に訊いた。

「持ってますけど、吸っていいんですか」

「通常は禁煙ですが、今日は特別に認めます。ただし、この場所で吸ってください」湯川は実験机の上にガラスの灰皿を置いた。

「じゃあ失礼して」上村は上着のポケットから煙草を取り出し、一本を口にくわえて火をつけた。

「俺も吸っていいか」草薙も煙草の箱を出しながら訊いた。

湯川はややげんなりしたように口元を歪めたが、結局小さく頷いた。ありがたい、と草薙は煙草に火をつけた。

「これは何ですか」上村が、実験机の上に並べて置いてある二つの水槽を指して訊いた。五十センチぐらいの長さの直方体をした水槽で、どちらにも七分目ほど水が入っている。

「触らないで。現在、中の水は非常に微妙な状態に保たれているんだ。揺らしたりしたら、そのバランスが崩れてしまう」

湯川の言葉で、中の水に触ろうとしていた草薙はあわてて手を引っ込めた。

「この水を使って何をする気ですか」上村が重ねて訊いた。

湯川が白衣のポケットから何か取り出した。それは、会議の時にスライドの注視位置を示すのに使ったりする、レーザーポインタだった。

「上村さん。あなたは、例の食品工場の大扉が全開になっていたとしても、角度から考えて、お宅の窓から堤防を見通すのは不可能だとおっしゃいましたね」湯川が確認するように尋ねた。

「ええ、いいましたよ」上村が答えた。挑む目をしていた。

「あそこの地形については、僕も確認しました。たしかに工場の大扉を全開したとしても、お宅とミニクーパーの停まっていた位置を直線で結ぶのは不可能でした。直線で結べないということは、通常は見通せないということです。なぜなら光は直進しますから」そういって湯川はレーザーポインタのスイッチを入れた。「竹田さん、すみませんが部屋の明かりを消してください」

はい、と幸恵は返事して、壁のスイッチを切った。窓にはカーテンがひかれていたので、室内は一気に薄暗くなった。すると、レーザーポインタから出た光が、真っ直ぐに伸びているのがよく見えた。

なるほどそれで煙草を許可したのかと草薙は納得した。空中に煙が漂っていたほうがレーザーの光を確認しやすいということは、以前湯川から教わったのだ。

「しかし」湯川はレーザー光を上村の胸元に当てていった。「もし光が曲がったらどうですか。見えるはずのないものが、見えることもあるんじゃないですか」

「光が曲がる？」いってから上村は、ああと頷いた。「鏡のことをいってるわけですか。そりゃあ鏡があれば、反射して見えることもあるでしょう。でも一体どこに鏡があったんです。しかもそんなに大きな鏡が」

上村がしゃべっている途中から、湯川は首を振り始めていた。

「誰が鏡のことなんかいいましたか。まあ、黙って見ていてください。いいですか、この二つの水槽のうち、左側の水槽には普通の水が入れてあります。今、この中にレーザー光を通してみます」そういうと湯川は、レーザーポインタをゆっくりと左の水槽に向けた。あっ、と声を漏らしたのは、忠広だった。身体の小さい彼の場合、水槽をちょうど真横から見る格好になるのだ。

レーザー光は水槽の側面でわずかに上に屈折し、そのまま水の中を直進していた。

「余談ですが、水にはほんの少しだけミルクを混ぜてあります。こうしたほうがレーザー光を見やすいのでね」湯川がいった。

「光が曲がってるよ」忠広が父親を見上げた。

上村は、ふっと息を吐いた。

「反射でなければ屈折ですか。光が水に入る時に屈折するというのは、理科で習いました。でも、現場のどこかに巨大な水槽でもありましたかね」

「あなたは本当にせっかちな人だなあ」うんざりしたように湯川はいった。「光が水槽に入った時に屈折することは、この際考えなくて結構です。僕がまず見てもらいたいのは、いったん水の中に入った光は、そのまま直進しているということなんです」

「それなら確認しました。真っ直ぐに進んでいる」

「では次に、もう一つの水槽に光を通してみます」湯川はレーザーポインタを、右側の水槽に向けていった。

おおっ、と今度は草薙が最初に声を出した。続いて忠広や幸恵も、うわあ、と驚きの声を上げた。上村は目を見開いたまま、黙っている。

水槽に入った光は直進せず、下に向かって緩やかなカーブを描いているのだ。それは明らかに、「曲がっている」と表現すべきものだった。

「どういうことだ」と草薙は訊いた。

「もちろん水に仕掛けがあるのさ」湯川はいった。「じつはこちらの中身は砂糖水なんだ。しかも上のほうの濃度は薄く、下になるにしたがって濃くなるようにしてある。光は濃度の薄いところから濃いところに進む時、屈折をする。しかも濃度が濃いほど屈折率は大きい。だから光は斜め下に進めば進むほど、一層大きく曲げられることになる」

「なるほど、そういうことか」水槽に顔を近づけ、草薙はいった。「こういうものにお目にかかったのは、初めてだなあ」

「お目にかかったのは初めてかもしれないが、これと同じ原理で起きる自然現象のことなら、君も知っているはずだ」

「えっ、そうか。何のことだ？」

「その前に」といって湯川は壁まで歩いていき、明かりのスイッチを入れた。「例の事故のことを上村さんに話してくれないか」

「ああ、わかった」

「事故？」上村が虚をつかれたような顔をした。「何ですか、事故って」

「あの日、お宅の裏の食品工場で、ちょっとした事故があったんですよ」草薙が話し始めた。「あの工場では、食品を冷凍するのに液体窒素を大量に使っているんですが、そのタンクが壊れたそうなんです。当然液体窒素が流れだし、工場内の床の一部が急激に凍ってしまったという話でした」

「これもその時のサンプルですよ」湯川が、半分に切れたスニーカーを手に持って見せた。「急速に凍らされた後、何らかの衝撃で割れたんでしょう。その後、もう一度溶けると、このようになるわけです」

壊れたスニーカーを見て、上村も少なからず驚いたようだった。

「そんなことがあったんですか。でも、そのことと今の実験と、どういう関係があるんですか」

それは草薙も知りたいことだった。彼は湯川のほうを見た。

「液体窒素が流れ出たことで、工場の人間たちはあわてたはずです。すぐに換気が必要だと思い、大扉を開放したわけです。その結果どうなったか。当然、真夏の熱い空気が工場内に流れ込みました。その瞬間工場の中は、下には冷たい窒素、上には熱い空気という具合に、極めて密度の違うガスの層が出来てしまったのです」湯川は、先程の砂糖水の入った水槽を指差した。「液体と気体の違いはありますが、その時工場の中は、この水槽と同じ状況だったといえます」

「するとその時にレーザー光線を通したら、さっきみたいに曲がったわけか」

「そういうことになる」湯川は草薙に向かって頷いた。

「そうなると……どうなるんだ」

「当然、工場の中を通して向こう側を見ようとした場合、見えるのは本来の位置にあるものではなく、もっと下にあるものだ。あの時の場合、ふつうならば絶対に見えるはずのない堤防が見えたわけだ」

「そんなことがあるのか……。いや、原理はわかったが」草薙は呟いた。頭では理解できても、イメージが湧かなかった。

「さっきもいったように、同じ原理の自然現象のことなら、君だってよく知っているはずだ」湯川はいった。「蜃気楼だよ」

ああ、と草薙は頷いた。話を横で聞いていた竹田幸恵も、納得した顔で首を縦に振っている。

「違う、蜃気楼なんかじゃない」上村が何かを断ち切るように右手を振り下ろした。

「竹田さんも見ただろう？　あの時、工場の大扉は閉まっていたじゃないか」

「工場に問い合わせたところ、大扉を開けていたのは、ほんのわずかな間だけだったそうですよ」草薙はいった。

「違う、ちがう。おい忠広、ちゃんと話してやれ。おまえは空に浮かんだんだよな。そうして、あの景色を見たんだよな」

しかし少年は父親の言葉に頷かなかった。

「空になんか、浮かんでないよ」泣きながらいった。「身体がふわふわしただけだよ。それなのにお父さんが、空に浮かんだっていえって……」

「忠広っ」上村がヒステリックに叫んだ。

その時湯川が、忠広のほうに近づいていった。そして少年の前でしゃがみこんだ。

「正直に答えてくれ。君はあの景色をどんなふうにして見たんだい？　工場の大きな扉が開いて、その向こうに見えたんじゃないのかい？」

すると忠広は少し考えてから、困ったように首を捻った。

「わかんない。そうだったかもしれない。ぼく、あの時ぼんやりしてたから、よくわかんないんだ」

「そうか」湯川は少年の頭に手を置いた。「それじゃあ、仕方ないな」

「蜃気楼だという証拠は何もない」上村がいった。「すべて推論にすぎない」

「そうです。でも、彼が幽体離脱したという証拠もない」

湯川の反論に、上村は言葉に詰まった。するとその時、竹田幸恵がいった。

「上村さん、こういうこと、もうやめましょうよ。あたし、知ってるのよ」

「知ってるって……何を？」

「あなたが忠広ちゃんの絵に手を加えたことよ。週刊誌に載ってた写真を見て、びっくりしちゃったんだから。忠広君が最初に描いた絵、あんなにはっきりとしたものじゃなかった。そりゃあ赤い車に見えなくはなかったけれど、白い屋根なんてなかったし、タイヤだって付いてなかった。全部あなたが後から描き加えたものなんでしょ」

彼女の指摘は事実のようだった。その証拠に上村は苦しげに顔を歪めた。

「あれは……話をわかりやすくするためにやったことです」

「何いってるのよ。単なるインチキじゃないの。そんなものに忠広ちゃんを付き合わせたりして……」幸恵は上村を睨みつけた。

返す言葉がないのだろう、上村は唇を嚙んだ。やがて彼は意を決したように、忠広の手を取った。

「興味深い実験を見せていただいて、ありがとうございます。でも、決定的な証拠は何もないようですから、参考意見として伺っておきます。予定がありますので、これで失礼します」

「上村さん……」

幸恵が声をかけたが、彼は無視し、息子を連れて部屋を出ていってしまった。

遠ざかっていく足音を、部屋に残った三人はしばらく黙って聞いていた。

「追いかけなくていいんですか」草薙は幸恵に訊いた。

「でも……」

「追いかけたほうがいい」湯川がいった。「あの少年のために」

幸恵は、はっとしたように顔を上げた。それから二人に一礼すると、足早に出ていった。

草薙は湯川と顔を見合わせ、ふうーっと長い息を吐いた。

「子供相手でも、まともに話ができるじゃないか」と草薙はいった。

すると湯川は、白衣の袖をまくって見せた。手首に赤い斑点ができている。

「なんだ？」と草薙は訊いた。

「じんましんだ」と湯川は答えた。

「えっ？」

「慣れないことはするもんじゃないな」そういって湯川は窓のカーテンを大きく開いた。

解説

佐野史郎

正統派のミステリーは、ほとんど読んだことがない。昔、かじったクリスティやドイルくらい。その後は、どちらかというとポーの系統に興味が行ってしまった僕が、どうして、東野圭吾さんの『探偵ガリレオ』の解説に登場することになったのか——。読者の方々も、不思議に思っているかもしれない。

それは、何を隠そう、東野さんは、僕をイメージして『探偵ガリレオ』の主人公である天才物理学者・湯川学を書いたといういきさつがあるからである。

東野さんによると、この作品は「以前からマニアックでいいから、科学を題材にしたミステリーを書きたいと思っていた。そのときは、話をなるたけオーソドックスなものに、純粋な探偵小説にしようと決めていた。映画『夢みるように眠りたい』で佐野さんが演じた探偵役が印象に残っていたので、佐野さんをイメージした探偵を書いてみようと思った。科学者というよりは、探偵としての佐野さんというイメージを持ったのが最初だった。もちろん、医者などの役も多くやられているので、理系というイメージもぴったりだったのだが」ということらしい。僕としては非常に光栄なことである。さっそく、興味津々で作品を読んでみた。

実は、先ほど、「正統派のミステリーはほとんど読んだことがない」と言ったが、唯一、好きな作家にフランスのセバスチャン・ジャプリゾがいる。寡作なのだが、その徹底的に緻密な作風に惹かれ、二十歳くらいのころ、立て続けに読んで熱中した。この作品を読んでジャプリゾをちょっと思い出した。

時系列の構成が面白い。また、あるときは犯人側から、あるときは刑事側からというように、描かれる視点が変わっていくところなども、ジャプリゾ的な部分かもしれない。その時系列や視点などは、小説を書いていく過程の中で、いったい、いつ考えるものなのか。最初に構成を考える時点で、決まっていることなのか、それとも、書いているうちに、自然と筆がそう動いていくのか、法則のようなものがあるのかどうか、東野さんに聞いてみたいところである。

題材として描かれている奇怪な事件や現象なども、僕自身は興味深いのだが、この五章すべてに共通するのは、事件が起こるシーンが非常に映像的であるということ。特に、第一章の、若者の頭が燃えるシーンは強烈である。ぜひとも映像で見てみたいと思った。

加えて、物語の中で印象的だったのは、草薙と湯川のコンビネーションである。やはりミステリーにとっては、仕掛けが命であり、その整合性のためにストーリーも展開していく。謎がきちんと解決されないと読者は納得しない。しかし、それだけだと、面白みに欠け、物語に厚みが出てこない。この作品では、草薙と湯川のやりとりが、そこを埋める重要な空気を作品に醸し出しているのである。

そんな湯川の盟友・草薙の役なら、誰がいいだろう……と、いろいろ想像が膨らんでくる。やはり、僕をイメージして書かれたとなると、つい役者モードで読んでしまうのだ。読者モードと役者モード。これは、違う脳を使っているとしかいいようがないのである。

自分の中に、湯川に近い理系的な部分があるかというと、実はあまり感じられない。そもそも佐野家は代々、医者の家系であり、理系のDNAがたくさん入っているはずなのだが、自分は根っからの文系人間だと思う。しかし、唯一、感じられる〝理系的〟な部分は、とことん整合性を求めるところだろうか。

たとえば、現在、雑誌「ダ・ヴィンチ」で「ゴジラのいる島」という小説を連載中なのだが、取材は徹底的にやらないと気がすまない。気になる部分はとことん調べ尽くしたいと、ここでも整合性を求める性格が頭をもたげる。

もちろん、役者においてもそうである。演じるときも、そんなのどうでもいいじゃないかと言われるようなことにこだわって、役の無意識を掘り起こす。そういう作業が好きなのである。意識的に話したり、意識して動いていることは高が知れていて、その人がどういう人間か、なぜ、そんなことをしたのかというのは、その人の無意識に現れるものだ。だから、シナリオの場合は、書いてあることの逆から演技を考え始め、書かれていないことを掘り起こす。それが俳優の作業なのである。

そうすると、東野さんが意識して書かれているかどうかはわからないが、役者の目から見た、湯川のキーポイントが、随所にみえてくる。

湯川の場合は、まず、そのトボケさ加減である。事件が解決したり、何かわかったことがあってもずっと言わないでいる、あの感じ。わかりやすく演じることは可能だが、逆に、あえてわかりやすさにこだわらず、演じてみたいものだ。それと、草薙との独特の距離感。あまり多くを語らないが、非常に強い友情を感じている様子が、読者側に伝わってきて、好感が持てる。演じ甲斐のあるところだ。

湯川のキャラクターで、もう一つ重要なのは、ふざけんぼなところ。草薙が訪ねてくると、〝歓迎のノロシ〟を上げたり、電子レンジで炎を作ったりと忙しい。登場人物のキャラクターは往々にして作家の分身であることが多いというから、湯川のユーモア溢れる、ふざけんぼなところは、東野さんのキャラクターに由来するのかなと、しばし考えた。とすると、湯川が使っている、よく洗っていないコーヒーのマグカップも、東野さんの生活を反映したものなのだろうか、ぜひ訊ねてみたいと思うのだが。

僕が今出演している番組で、「特命リサーチ２００Ｘ」（日本テレビ系）という番組がある。常識では説明の難しい、奇妙な事件を科学的に捜査していくという、まさに、『探偵ガリレオ』と同じようなコンセプトの番組である。時期的には、この作品が初めて「オール讀物」に掲載されたのと、ほとんど同時に、番組も始まっているらしい。実際、同じようなことが全く別のところで、進行しており、奇しくも、その両方に僕が絡んでいたというのは、これこそまさに、奇妙な偶然である。湯川ならどう解決してくれるのだろうか。

（俳優）

初出誌

燃える――オール讀物九六年十一月号
転写る――　〃　九七年三月号
壊死る――　〃　九七年六月号
爆ぜる――　〃　九七年十月号
離脱る――　〃　九八年三月号

単行本

九八年五月　文藝春秋刊

＊本文中のレイ・ブラッドベリ『火星年代記』の引用は
ハヤカワ文庫（小笠原豊樹訳）によるものです。

文春文庫

探《たん》偵《てい》ガリレオ

2002年 2 月10日　第 1 刷
2008年12月15日　第42刷

著　者　東《ひがし》野《の》圭《けい》吾《ご》
発行者　村上和宏
発行所　株式会社 文藝春秋
東京都千代田区紀尾井町 3-23　〒102-8008
TEL 03・3265・1211
文藝春秋ホームページ　http://www.bunshun.co.jp
文春ウェブ文庫　http://www.bunshunplaza.com

落丁、乱丁本は、お手数ですが小社製作部宛お送り下さい。送料小社負担でお取替致します。

印刷・凸版印刷　製本・加藤製本

Printed in Japan
ISBN4-16-711007-5

文春文庫

ミステリー

（　）内は解説者。品切の節はご容赦下さい。

宮部みゆき
人質カノン
深夜のコンビニにピストル強盗！　そのとき、犯人が落とした意外な物とは？　街の片隅の小さな大事件と都会人の孤独な肖像を描いたよりすぐりの都市ミステリー七篇。（西上心太）
み-17-4

宮部みゆき
誰か Somebody
事故死した平凡な運転手の過去をたどり始めた男が行き当たった、意外な人生の情景とは——。稀代のストーリーテラーが丁寧に紡ぎだした、心を揺るがす傑作ミステリー。（杉江松恋）
み-17-6

結城五郎
心室細動
二十年前の事件を暴く脅迫状。関係者は次々に心室細動を起こし急死する……。過去の罪に怯え、破滅へと向かう男のリアルな恐怖を描くサントリーミステリー大賞受賞作。（長部日出雄）
ゆ-6-1

横山秀夫
陰の季節
「全く新しい警察小説の誕生！」と選考委員の激賞を浴びた第五回松本清張賞受賞作「陰の季節」など、テレビ化で話題を呼んだ二渡が活躍するD県警シリーズ全四篇を収録。（北上次郎）
よ-18-1

横山秀夫
動機
三十冊の警察手帳が紛失した——。犯人は内部か外部か。日本推理作家協会賞を受賞した迫真の表題作他、女子高生殺しの前科を持つ男の苦悩を描く「逆転の夏」など全四篇。（香山二三郎）
よ-18-2

横山秀夫
クライマーズ・ハイ
日航機墜落事故が地元新聞社を襲った。衝立岩登攀を予定していた遊軍記者が全権デスクに任命される。組織、仕事、家族、人生の岐路に立たされた男の決断。渾身の感動傑作。（後藤正治）
よ-18-3